RENOIR

SOPHIE MONNERET

RENOIR

DUMONT BUCHVERLAG KÖLN

Umschlagabbildung: *Tanz in Bougival,* 1882/83.
                       Öl auf Leinwand, 180 x 90 cm,
                       Museum of Fine Arts, Boston, Purchased Picture Fund

Frontispiz: *Eisenbahnbrücke bei Chatou* (Detail), 1881.
                       Öl auf Leinwand, 54 x 65,5 cm,
                       Musée d'Orsay, Paris

CIPTitelaufnahme der Deutschen Bibliothek

Monneret, Sophie:
Renoir / Sophie Monneret. [Übers. aus d. Franz. von
Stefan Barmann]. – Köln: DuMont, 1990
    Einheitssacht.: Renoir <dt.>
    ISBN 3-7701-2600-9
NE: Renoir, Auguste [III.]

Übersetzt aus dem Französischen von Stefan Barmann

© Copyright der Originalausgabe:
1989 Sté Nlle des Editions du Chêne

© Copyright der deutschen Ausgabe:
1990 DuMont Buchverlag, Köln

Satz: Fotosatz Harten, Köln
Printed in Switzerland   ISBN 3-7701-2600-9

Renoir

Einflüsse und Ausbildung

Renoir, jene herausragende Gestalt des Impressionismus, verkörpert diesen so sehr, daß er Proust zu der Wortprägung veranlaßte: »Da gehen Frauen auf der Straße, doch andere als einst, denn es sind Renoirs.«

Im Gegensatz zu Cézanne, auf den sich die Kubisten berufen, und Monet, an den manche Abstrakte anknüpfen, bricht Renoir mit seinem Werk keine neuen Bahnen; er verherrlicht vielmehr das Glück der Jugend in einer Vollendung, die den nachfolgenden Generationen zu träumen gibt.

Alle, die Renoir gekannt haben, beschreiben seine Lebhaftigkeit, seinen Geschmack am Paradox, sein wetterwendisches Temperament, seinen stets regen Körper: »Es war ihm ein inneres Bedürfnis, daß alles sich rührte«, sagt Thadée Natanson, und Régnier bemerkt »seine äußerste Nervosität, sein ruheloses und gescheites, durch und durch scharfsinniges Gesicht«. Diese Lebendigkeit von Körper, Blick und Wort schlägt sich in seinem Stil nieder. Als er die Strenge der klassischen Lehre aufgibt und seinem Temperament freien Lauf läßt, wird seine bildnerische Technik so tänzerisch wie seine Gebärde und elektrisiert Landschaft, Stilleben, Frauen.

Die Neoklassizisten waren von den griechisch-römischen Heroinen gefesselt, die Romantiker gebannt von den Orientalinnen, die Künstler der Zeit Louis-Philippes und der Zweiten Republik von den Bäuerinnen inspiriert. Gegen Ende des Zweiten Kaiserreichs verfallen die Maler auf den Charme der Pariserinnen, deren ganze Raffinesse Renoir verherrlichen sollte, denn Paris ist ihm eine zweite Haut – ein Paris des kleinen Volkes, das sich im Industriezeitalter vor seinen Augen verwandelt.

Indes ist dieser Pariser in Limoges geboren. Enkel eines Findelkindes, dessen Name sich unterschiedslos Renouart oder Renoir buchstabiert, ist Pierre-Auguste das vierte Kind des Schneiders Léonard Renoir, Ehemann der Näherin Marguerite Merlet. Pierre-Henri, der Erstgeborene, arbeitet später als Graveur in den großen Goldschmiedewerkstätten, die Tochter Lisa übt dann das Handwerk der Eltern aus wie auch der lange Zeit in Rußland ansässige Sohn Victor.

Kurz vor der Geburt des Nesthäkchens Edmond, im späteren Leben Journalist, lassen sich die Renoirs in Paris unweit des Oratoire nieder. Bald sind sie durch die Bauarbeiten auf der Avenue de l'Opéra zum Umzug gezwungen; die neue Adresse in der Rue d'Argenteuil tauschen sie hernach gegen die Rue des Gravilliers im Marais. Als die Eltern sich 1868 nach Louveciennes zurückziehen, weil Léonard durch eine rheumatische Erkrankung zur Aufgabe seines Berufs gezwungen ist, übernimmt Lisa diese Wohnung.

Dort, wo Renoir seine Jugend verbringt, in den Stadtvierteln zwischen Louvre und Conservatoire des arts et métiers, macht man, als er debütiert, zwischen Kunsthandwerkern und Künstlern keinen Unterschied. Das für Musik, Gesang und Zeichnung mehr als begabte Kind singt im Kirchenchor von Saint-Eustache, dessen Leiter Charles Gounod, Sohn eines Porträtmalers der Restaurationszeit, mit der Oper *Faust* (1859) zu Ruhm gelangen wird. Er würde seinen jungen Choristen gern zu einer Laufbahn an der Oper, als Sänger oder Komponist, bewegen. Aber für diesen empfehlen der als Graveur tätige Bruder und der Modezeichner Leray, künftiger Schwager, ein Kunsthandwerk. In Limoges, der Hauptstadt des Porzellans, verdienen die Keramikmaler reichlich ihr Brot, und wenn sie in Sèvres tätig sind, fehlt es nie an Arbeit. Der ideale Beruf also. Renoir geht bei den Brüdern Lévy, Rue du Temple, in die Lehre – seine Kollegen nennen ihn den »kleinen Rubens« – und erlernt das Dekorieren von Tellern, Lampen und Teekannen mit Blumen, Vögeln, Schäferszenen und jenen Marie-Antoinette-Figuren, an denen der neuen Kaiserin so viel liegt. Abendkurse im Zeichnen, in der Rue des Petits-Carreaux, wo er mit Emile Laporte Freundschaft knüpft, vervollständigen seine Studien.

Als sein erster Arbeitgeber durch das Aufkommen eines industriellen Porzellandruckverfahrens zugrunde gerichtet wird, findet Renoir eine neue Betätigung bei dem Fächer- und Rollvorhangfabrikanten Gilbert. Weitgehende Übereinstimmungen mit den Fächer- oder Bonbonnierendekors zeigen sich in einem kleinen Ölbild aus dieser Zeit, *Pierrot und Colombine* (Privatbesitz). Augustes offenkundige Begabung, sagt sein Sohn Jean später, sei von einem älteren Maler (dem Vater seines Freundes Emile Laporte oder Ouleway?) erkannt worden, der nun den Eltern rät, den jungen Mann sein Brotgewerbe aufgeben und ihn statt dessen den offiziellen Weg der Ecole des Beaux-Arts einschlagen zu lassen, den er durch Eintritt in das Atelier Gleyre vorbereiten solle. Der schüchterne Saint-Simonist Gleyre, der sich seinen Unterricht nicht bezahlen läßt, respektiert vor allem die Persönlichkeit seiner Schüler. Noch 1890, als er zum letztenmal ein Gemälde beim Salon einreicht, beruft Renoir sich auf ihn. Eine seiner Regeln macht er sich zu eigen: »Nehmt immer ganz junge Modelle, der Verfall beginnt mit achtzehn«, und wenn er im Alter Joachim Gasquet anvertraut: »Ich hätte gern das irdische Paradies gemalt«, so stimmt dies mit den Bestrebungen Gleyres überein, dessen strahlender Entwurf für ein irdisches Paradies (Lausanne, Musée cantonale des Beaux-Arts), den umzusetzen er nie die Zeit gehabt hatte, das Atelier erleuchtete.

Renoir, der zu dieser Zeit bei Laporte an der Place Dauphine wohnt, tritt im April 1862 in die Ecole Impériale et Spéciale des Beaux-Arts ein. Während er im Herbst einen Teil seines Militärdienstes leistet, kommen Bazille, Monet und Sisley zu Gleyre. Im Laufe der folgenden Jahre knüpft sich eine historische Freundschaft, die sich dank Bazille auf Cézanne, Pissarro und Guillaumin, Schüler des Ateliers Suisse, ausweitet. Im Mittelpunkt steht die Bewunderung für Delacroix und Manet, der mit *Frühstück im Freien* (1863) und *Olympia* (1865) ins Zentrum des Zeitgeschehens gerückt ist.

Renoirs Zensuren an der Ecole des Beaux-Arts sind ansehnlich. Unterdessen kopiert er auch im Louvre; er begegnet dort Fantin-Latour, dessen geflügeltes Wort er vierzig Jahre später Bonnard überliefert: »Malen, das lernt man im Museum.« Die Nymphen von Jean Goujon an der Fontaine des Innocents hatten seine ersten Gefühle für die Kunst geweckt. Zeit seines Lebens liebt er dann das erste Bild, das ihn »gepackt« hat, *Das Bad der Diana* von Boucher (seit 1852 im Louvre), und er kopiert es wie auch Fantin, Whistler und Manet.

Mannigfache Einflüsse wirken auf seine Anfänge, aber nur wenige Jugendwerke sind erhalten; viele davon wurden wohl übermalt. Es bleiben ein paar Bildnisse von seiner Familie – noch im Augenblick seines Todes hängt das Porträt der Mutter in seinem Zimmer in Cagnes – oder von seinen Freunden: *Marie-Zélie Laporte* (Privatbesitz), Schwester seines Kameraden und spätere Frau des Buchdruckers Gustave Peignot. Eine auf 1862 datierte Studie, *Rückkehr von einer Bootspartie* (Privatbesitz), steht Boudin, dem Mentor Monets, erstaunlich nah.

Seine erste Einsendung zum Salon, *Nymphe und Faun* (verschollen), gehört zu den Hunderten von Bildern, die 1863, im Jahr des berühmten Refüsiertensalons, verworfen werden. Triebfeder solcher Unbeugsamkeit ist Signol, einer seiner Lehrer an der Ecole des Beaux-Arts, denn er gehört zur »Société de l'oignon«, die, um eine Zwiebelsuppe geschart, seit fünfundzwanzig Jahren Künste, Literatur und Politik schulmeistert, wie man sagt.

Das Thema des Werkes, mit dem Renoir im Jahr darauf angenommen wird, gehört zum romantischen Repertoire: *Esmeralda tanzt vor den Strolchen* (verschollen). Romantisch auch, wenngleich nach der strengen Art von Ricard, sein *Bildnis der Mademoiselle Sicot* (Washington, National Gallery). Diese Eugène-Labiche-Darstellerin hat einen Prozeß gegen den Hersteller von »Venusweiß« gewonnen, ein Produkt, durch das sie vorübergehende Entstellungen erlitt. Renoirs wohlbekannte Abscheu vor Schminke muß aus dieser Zeit rühren. Beim Salon von 1865 zeigt er ein *Porträt W. S. Sisley* (Paris, Musée d'Orsay), ein Bildnis des Vaters seines Gefährten, streng wie eine Zeichnung von Gleyre. Renoir hat die Gabe, Freundschaft zu wecken. Das ist für alle Phasen seines Lebens bezeugt. Ihr verdankt er seine ersten Aufträge, seine ersten Ateliers, seine ersten Lieben. Er logiert bei Laporte, bei Sisley (bis dieser die Frau seines Lebens kennenlernt), bei Bazille, erst in der Rue Visconti, dann in der Rue de la Paix im Batignolles-Viertel, begleitet Alfred Sisleys Bruder Henry auf der Reise nach Le Havre, genießt in Paris, Berck und Marlotte Gastrecht bei Jules Le Cœur, dem Maler, und seinem Bruder Charles, dem Architekten, und lernt über sie Lise Tréhot kennen, die Frau, die bis 1871 sein liebstes Modell bleibt. In den Werken, die er für die Brüder ausführt, spricht sich die Reife seines Talents aus. Es sind Porträts oder Blumenbilder wie der *Frühlingsstrauß* (Cambridge, Mass., Fogg Art Museum) in seinen blaugelben Akkorden.

Dank dieser Familie nimmt Renoir 1865 an der Ausstellung der Société des beaux-arts de Pau teil, die – wie auch das Museum dieser Stadt – im Jahre 1864 von Le Cœur gegründet wurde. Eines der drei Gemälde stellt den Feenteich bei Marlotte vor, wo Jules Le Cœur gerade ein Haus gekauft hat. Bei seinen ersten Aufenthalten in der Gegend von Fontainebleau frönt Renoir dem im Kunsthandel gängigen Geschmack an der Schule von Barbizon; später berichtet er, er habe um die Jahrhundertwende bei einem Londoner Kunstliebhaber eines seiner Bilder wiedergefunden, und zwar mit der Signatur »Théodore Rousseau« versehen. Von diesem Meister wird er – wie übrigens auch Monet und Sisley – inspiriert, aber im Wald von Fontainebleau trifft er einen anderen Maler, Diaz, der ihm den entscheidenden Ratschlag gibt: niemals ohne Modell zu malen und auf den Lokalton zu verzichten.

Mit der Ankunft amerikanischer Maler und Kunstfreunde nach dem Sezessionskrieg wird Barbizon als Hochburg der Künstler von Marlotte abgelöst. 1863 beschrieben die Brüder Goncourt verächtlich die dort verkehrenden hemdsärmeligen Männer und ihre barhäuptigen Gefährtinnen. An diesem Ort ist 1861 Murger gestorben; seine *Szenen aus dem Leben der Boheme* waren der Traum ganzer Generationen. Whistler versicherte, ihretwegen sei er nach Frankreich gekommen.

Auf den Wänden des Gasthofs Anthony hat Renoir, wie es sich gehört, Murger beschworen. Man sieht ihn auf dem großen Gemälde *Das Gasthaus der Mutter Anthony* (Stockholm, Nationalmuseum), das, nach einem halben Mißerfolg beim Salon von 1866 in Angriff genommen, eine Hommage an die neue Boheme und ihren Herold Zola zu sein scheint. Die von hinten gezeigte Gestalt, vielleicht Sisley oder Jules Le Cœur, hält nämlich die Zeitung *L'Evénement*, in der der mit einem Bericht über den Salon beauftragte Freund Cézannes die konsekrierten Ruhmesblätter zerpflückt, Manet einen Lorbeerkranz flicht und sich über Monets *Camille* (Bremen, Kunsthalle) entzückt. Monet könnte der stehende Mann in Vorderansicht sein – er ähnelt dem Monet-Bildnis von Fantin-Latour –, falls es sich nicht um Jules Le Cœur handelt.

In Chailly und dann in Ville-d'Avray, wo Monet an *Frauen im Garten* (Musée d'Orsay) arbeitet, traf Renoir mit Courbet, dem Idol der Realisten, zusammen. Dessen Einfluß, erkennbar am Gebrauch des Spachtels und dem pastoseren Farbauftrag, macht sich in manchen Arbeiten bemerkbar und verbindet sich in *Diana* (Washington, National Gallery) mit der Einwirkung Gleyres. Die Jury von 1867 nimmt dieses Gemälde zwar nicht an, aber dieser Fehlschlag ist nicht weiter von Bedeutung, denn die Besucher vernachlässigen den Salon – Renoir und seine Freunde hatten vergebens verlangt, man solle zusätzlich Räume für die Abgewiesenen bereitstellen – und stürzen sich in die Weltausstellung, neben der Courbet und Manet zwei große Retrospektiven gewidmet sind. Renoirs Bewunderung für beide koppelt sich im Bildnis der *Lise mit dem Sonnenschirm* (Essen, Museum Folkwang), das er sommers im Wald von Fontainebleau gemalt hat – oder im Wald von Chantilly, der Hauptstadt jener Spitze, mit der der Sonnenschirm der jungen Frau überzogen ist. Seit zehn Jahren lernt Renoir unermüdlich und macht stete Fortschritte. Bald schaut er auf Fragonard (*Die Champs-Elysées*, 1867, Privatbesitz), bald auf Corot (*Der Pont des Arts,* Los Angeles, Norton Simon Foundation), dessen Ratschlag, »blond zu sehen«, von Pissarro, Guillemet und Berthe Morisot befolgt wird. Corot, der »Meistermaler von Landschaftsimpressionen«, Courbet, der Beförderer des Realismus, Manet, der Anführer der Moderne – all diese Einflüsse vermischen sich in einem geheimen Einverständnis. Dies bereitet die Elemente eines bildnerischen Illusionismus vor, dessen Wegbereiter Renoir sein wird und der in der folgenden Etappe zutage tritt.

Durch den Umzug ins Batignolles-Viertel rükken Bazille und Renoir ihren Kameraden näher: Manet hat sein Atelier in der Rue Guyot, Sisley wohnt in der Cité aux fleurs, Zola in der Rue Moncey, Pissarro und Monet haben ein Ausweichquartier in der Villa Saint-Louis. Ihre Künstlerrunde halten sie im Café Guerbois, Avenue de Clichy, wo Cézanne, wenn er in Paris ist, sich ihnen zugesellt. An den endlosen ästhetischen Debatten, angefeuert von Wortgefechten zwischen Degas und Manet, nehmen auch Musiker – der extravagante Cabaner und Verlaines Schwager Sivry – sowie die der impressionistischen Sache verschriebenen Schriftsteller Théodore Duret, Philippe Burty, Louis-Edmond Duranty, Armand Sylvestre und Paul Alexis teil. Auf Bazilles *Atelier in der Rue de la Condamine* (Musée d'Orsay) erkennt man seinen besten Freund Edmond Maître und Renoir. Fortan besucht und schätzt man sich. Als Antwort an den Sammler Chéramy, der eine Kopie des Wagner-Bildnisses wünscht, beschreibt Maître 1892 Renoir in folgenden Worten: »Er ist ein schüchterner Mensch, aber ich kenne keinen selbstloseren und verläßlicheren.« Beim Salon von 1868 führt *Lise mit dem Sonnenschirm* Renoir aus der Anonymität. Zola, für den »ein Künstler unwissentlich dem Druck des Milieus und der Umstände gehorcht«, schlägt ihn zusammen mit Bazille und Monet der Rubrik »Aktualisten« zu und beschreibt Lise, »ihren geschmeidigen, vom sengenden Nachmittag gewärmten Körper wiegend. Sie ist eine unserer Frauen, eine unserer Geliebten vielmehr, gemalt mit großer Wahrhaftigkeit und geglückter Suche auf dem modernen Gebiet«. Castagnary stellt fest: »Die Jugend kommt zu uns.« Er tauft diese neuen Maler »Naturalisten« und empört sich darüber, daß die zunächst hervorragend plazierte *Lise,* von den Kennern betrachtet und diskutiert, bei der Revision in die »Rumpelkammer« des Dachgeschosses neben Bazilles *Familientreffen* (Musée d'Orsay) und Monets *Grands Navires* verbracht worden sei: »Glauben Sie, daß Renoir ob der ihm zugefügten Beleidigung keinen Groll hegen wird?« Das Gemälde war sogar Gegenstand mehrerer Karikaturen, darunter eine von Renoirs Freund Ouleway, womit damals der Anfangsgrund des Ruhms gelegt ist. Wie Anne Distel gezeigt hat, scheint Lise gleichfalls in den *Verlobten,* genannt *Das Ehepaar Sisley* (Köln, Wallraf-Richartz-Museum), aufzutauchen – ein Werk naturalistischer Prägung, jedoch mit einem Anflug von Biedermeier (bei Gleyre arbeiteten viele Deutsche und Schweizer). Eine weitere, im Salon des folgenden Jahres vertretene Studie zeigt sie im selben gestreiften Rock vor einem Hintergrund von Blattwerk, das wie in Courbets *Hängematte* (Winterthur, Sammlung Oskar Reinhart) in runden Pinseltupfern ausgeführt ist.

Noch schwankt Renoirs Faktur aufgrund der Weisungen seiner Auftraggeber zwischen mehreren Stilen. Im Gegensatz zu Cézanne, Bazille, Sisley und Monet, die von ihren Familien Unterstützung erfahren, lebt Renoir allein von seinem Pinsel; er hat keine Scheu vor Dekorationsarbeiten, und seine Bilder dienen auch als Zahlungsmittel für Leinwand und Farbe bei Deforge und Latouche oder für Mahlzeiten und anderen Verzehr. Auf diese Weise habe er, berichtet sein Sohn Jean, mehr als zwanzig Pariser Cafés dekoriert. Für eines davon, gegenüber dem Cirque Napoléon – der nach 1870 den Namen Cirque d'hiver erhält – gelegen, malt er einen musizierenden Clown, die Attraktion der Truppe um John Price, welchem Banville eine seiner *Camées parisiens* widmen wird. Über dieser Figur, aufgebaut gegen einen neutralen Hintergrund vor dem Halbrund eines naiven Areopags, in dem man Mutter und Schwester des Künstlers erkennen kann, schwebt der Einfluß von Manets *Pfeifer* (Musée d'Orsay) und *Mlle. Victorine im Kostüm eines Stierkämpfers* (New York, Metropolitan Museum of Art).

Im Jahr der Weltausstellung schildert Renoir die Champs-Elysées, auf denen sich die Passanten drängen, um die ausländischen Besucher und die Berühmtheiten, den Fürsten Jérôme Napoléon oder die Païva, vorbeifahren zu sehen. Die Goncourts, bei letzterer zum Diner geladen, vermerken im Januar 1868 »einen Schnee zum Jammer von Paris, der einen frösteln läßt«; zu Fuß überquert man die Seine, und die eleganten Pariser laufen Schlittschuh im Bois de Boulogne, den Haussmann und Davioud mit verschlungenen Alleen, Weihern und als Holzhäusern angelegten Restaurants ausstaffiert haben. Von der ersten Etage eines dieser Bauten, des Pavillon du Lac, herab malt Renoir ein Bild, das einen echten Wandel seiner Handschrift ankündigt. Das Sujet dieser *Schlittschuhläufer im Bois de Boulogne* (Privatbesitz) wählte er vielleicht wegen des wachsenden Erfolges, den Jongkind mit seinen Winterthemen hatte; aber die Maltechnik zeigt, wie empfänglich Renoir gerade darin für den holländischen Meister ist, dem Monet, wie er anerkennt, »die maßgebliche Erziehung seines Auges« verdankt: kleine, züngelnde Pinseltupfer, die tänzelnde Stenographie der Figuren, der Fluß des Schnees – der dogmatische Realismus rückt in die Ferne.

Im Jahr darauf wird in La Grenouillère auf der Ile de Croissy, auch Ile de la Chaussée genannt, der Impressionismus aus der Taufe gehoben. Renoir ist durch Georges Bibesco auf diesen Ort aufmerksam gemacht worden. Die Bekanntschaft der beiden verdankt sich Charles Le Cœur, der mit dem Bau des Wohnsitzes der Bibesco an der Avenue de Latour-Maubourg beauftragt ist und dabei für seinen Gefährten die Dekoration zweier Decken mit Trompe-l'œil-Malereien erwirkt. (1911 sind diese Arbeiten im Zuge einer Renovierung beseitigt worden, aber zwei Berliner Aquarelle bewahren das Gedächtnis daran.)

In den kalten Bädern von La Grenouillère verleiht ein großes Restaurantschiff – Maupassant beschreibt es in *Yvette* – dem Ort, der auf Jahre hinaus zum »Treffpunkt des Paris der Ruderer, Lebemänner und Bohemiens« wird, zusätzlichen Reiz. Vor dem

Deutsch-Französischen Krieg von 1870/71 findet sich hochelegantes Publikum ein: 1869 krönt der Besuch Napoléons III. und der Kaiserin den Trend zu diesem »Trouville am Seineufer«.

Die künftigen Impressionisten sind zu dieser Zeit auf den Hügeln des linken Seineufers versammelt. Im Sommer wohnt Renoir, auf Besuch bei seinen Eltern in Louveciennes, nicht weit von Pissarro; und zu Monet, der sich dank der Großzügigkeit neuer Kunstfreunde in Michel-de-Bougival niedergelassen hat, sind es nur ein paar Minuten. Auf einem Pfad, der sich zwischen Rebstöcken und Geißblatt über die Weinhänge dahinschlängelt, steigen Renoir und Monet hinunter bis zu der Brücke, die seit 1864 Bougival und Croissy verbindet, und erreichen La Grenouillère. Beide gedenken dort Stoffe für den nächsten Salon zu finden, wie Monet Bazille, diesen um Geld angehend, mitteilt, und Renoir schreibt demselben Empfänger: »Ich bin fast alle Tage bei Monet, wo wir uns nebenbei gesagt ziemlich schaffen. Wir haben nicht alle Tage was zu futtern, ich bin's aber trotzdem zufrieden, weil Monet mir beim Malen gute Gesellschaft leistet.« Die Studien, die sie Seite an Seite treiben, geben eine erste Antwort auf das Problem jener Umsetzung von Figuren im Licht, die auch Bazille und Berthe Morisot anstreben und die der Probierstein des Impressionismus sein wird. Auf diesen Gemälden läßt das Spiel der Sonnenflecke die Transparenz der Luft, das Gleißen des Wassers, das Erzittern der Blätter, das Schillern der Stoffe spüren. Die im Moskauer Puschkin-Museum aufbewahrte Studie unterscheidet sich von den anderen durch ihre Raumaufteilung, die mit Hilfe des Baums im Vordergrund nach dem Goldenen Schnitt vorgenommen wurde. Die Winterthurer Studie scheint näher an Monet: leere Boote, breit hingepinselte Reflexe. Beide haben auch das »Pot-à-Fleurs« (Blumentopf) genannte Inselchen gemalt; bei Renoir (*La Grenouillère*, Stockholm, Nationalmuseum) ist es nicht ohne Humor etwas fröhlicher gedeutet.

Beim Salon von 1870 reicht Renoir keines dieser Werke ein; sie wären in dieser Veranstaltung, wo sich die Besucher um Viberts *Gulliver* scharen, zu revolutionär erschienen. Seine beiden ausgestellten Bilder nehmen sich aus wie ein doppeltes Augenzwinkern gegenüber den verehrten Meistern Courbet und Delacroix. Das erste, *Badende mit Hund* (São Paulo, Museu de Arte), dessen Realismus durch die Pose der Knidischen Aphrodite ins Akademische reicht, ist vermutlich inspiriert von einer Entkleidungsszene in La Grenouillère für diese neuen *Mädchen am Seineufer*; im zweiten, der *Frau aus Algier* (Washington, National Gallery), ist Lise als – ein wenig ordinäre – Odaliske verkleidet. Der liebenswerte Arsène Houssaye, der in der Avenue de Friedland so schöne Feste gibt, meint: »Diese Odaliske hätte Delacroix signieren können« und fährt fort: »Die beiden Meister dieser Schule, die statt Kunst um der Kunst willen Natur um der Natur willen sagen, sind die Herren Monet und Renoir.« Beim selben Salon erweist Fantin-Latour der neuen Schule seine Reverenz mit dem *Atelier in Les Batignolles* (Musée d'Orsay), einem Gruppenbildnis, in dem Renoir, ein wenig zurückstehend, ganz anders erscheint als die übrigen Figuren der Szene. Er allein scheint nicht zu posieren, sondern sich in die innige Betrachtung des Bildes (ein Porträt des gemeinsamen Freundes Zacharie Astruc) zu vertiefen, an dem Manet malt.

Dieses aufmerksame Studium der Werke anderer wird es Renoir erlauben, seine Eigenart zu erkennen und deutlich zu machen. »Ein Maler, der noch von sich reden machen wird«, meldet Fantin in einem Brief an seinen Freund, den englischen Kupferstecher Edwards. Bazille, der auf dem genannten Bild in vorderster Reihe steht, verläßt Les Batignolles im Mai und mietet im selben Haus wie Fantin, in der Rue des Beaux-Arts, ein Atelier, das Renoir wieder mit ihm teilt. Edmond Maître wohnt ganz in der Nähe, in der Rue Taranne, und schaut häufig mit Verlaine herein, der zu dieser Zeit gerade seine Gedichte für die *Fêtes galantes* verfaßt. Seit einigen Jahren nimmt das Interesse am 18. Jahrhundert stetig zu: Die Brüder Goncourt veröffentlichen *L'Art du XVIIIᵉ siècle*, Charles Blanc, ein Freund der Manets, schreibt *Les Peintres des fêtes galantes*, Lacaze und Degas' Freund Marcille vermachen dem Louvre Gemälde von Watteau, Boucher und Chardin, über die Paul Mantz am Schluß einer langen Chronik folgende Worte schreibt: »Wahren wir diesen glücklichen Malern, die sich für die klare Note begeistert haben, einen Platz in der Kunst.« Renoirs Arbeit stimmt mit diesem Satz ganz und gar zusammen; die in La Grenouillère eingetretenen Änderungen seines Stils rühren von seinem Geschmack am 18. Jahrhundert her. Der im Sommer 1870 geschaffene *Spaziergang* (London, British Rail Pension Fund) beschwört die Freuden auf einer Zauberinsel der Natürlichkeit. Auch die Mode zeigt Anmutigkeiten ganz im Stil des 18. Jahrhunderts, und Lise, im Strohhut unter den Bäumen, dient als Vorwand, jene Gewänder zu skizzieren, die man »Spring ins Boot« oder »Mach es doch im Park« nennt.

Als der Krieg von 1870 ausbricht, ist Renoir mitten in seiner künstlerischen Entwicklung. Zum 10. Infanterieregiment einberufen, begibt er sich nach Libourne. Der Sturz des Kaiserreichs wird von der Batignolles-Gruppe und den früheren Schülern des sehr republikanischen Gleyre begeistert aufgenommen. In Paris verläuft der 4. September in der Atmosphäre eines Pferderennens in Longchamps; wie dort beim Wiegen richtet die auf den Stufen der Madeleine zusammengedrängte Menge ihre kleinen Fernrohre auf das Palais-Bourbon, um bei der Ausrufung der Republik dabeizusein. Vier Monate spä-

ter, nach der Belagerung, durchgestanden in einem Winter, wie Frankreich ihn seit einem Jahrhundert nicht mehr erlebt hat (Weihnachten betrug die Temperatur minus 36 Grad), wird die Nachricht der Übergabe mit »Capitulards«-Rufen aufgenommen. Bei den Wahlen vom 26. März an die Macht gebracht, herrscht in Paris die Commune gegen die von Thiers nach Versailles verlegte Staatsregierung. Renoir, wegen einer schweren Ruhr in Bordeaux ins Krankenquartier überstellt und dann nach Tarbes geschickt, quittiert im März den Militärdienst und kehrt während der Commune nach Paris zurück. Glücklicherweise hat er Freunde in beiden Lagern. Raoul Rigault, der wegen blanquistischer Aktivitäten polizeilich gesucht worden war und sich in Marlotte versteckt gehalten hatte, verschafft ihm einen Passierschein, damit er in Louveciennes seine Eltern und Sisley beruhigen kann. Umgekehrt verhilft der beim Generalstab in Versailles attachierte Bibesco ihm zu einem gleichartigen Papier, damit er über die Regierungslinien kommt.

Seit seiner Rückkehr sieht Renoir Edmond Maître häufig. Im April posiert ihm dessen Freundin Rapha, einen japanischen Schirm in der Hand, liebreizend wie eine Geisha. Die hellen Farbtöne ihres Gewandes, die Blumen, das Gitterpapier sollten eigentlich einen Anflug von Heiterkeit schaffen, doch zieht sich ein Trauerschleier über dieses Interieur. Der Tod des bei Beaune-la-Rolande gefallenen Bazille ist noch nah, und der Bürgerkrieg tobt.

Wunderschön umspielen die von Renoir gemalten Garderoben die Körper, die sie bekleiden. Durch seine familiären und freundschaftlichen Bindungen (Sisleys Vater handelte mit Seidenwaren und Stoffblumen) mit der Modewelt vertraut, vermittelt der Künstler ein Gespür für das Leben unter den Satin- und Samtgeweben, aber ohne die Geziertheit eines Winterhalter, Dubufe oder Stevens. Immerhin macht sich der bei Bazille und Manet oftmals bemerkbare Einfluß des letzteren auch in der Haltung und Leinwandaufteilung der *Frau mit Sittich* geltend. Das Werk, für das Lise posiert hat, datiert spätestens vom Jahr 1871, denn »danach habe ich das Modell verloren«, bescheidet Renoir 1912 Durand-Ruels Anfrage nach diesem Bild sowie der *Badenden mit Hund*, seine Auskunft durch den Ratschlag ergänzend: »Machen Sie keinen Aufstand wegen dieser Schinken.«

Der große Kunsthändler und lebenslange Förderer des Impressionismus hat im Krieg Monet und Pissarro kennengelernt, die wie er nach London ins Exil gegangen sind. Bereits 1872 verkauft Renoir ihm den *Pont des Arts* (Los Angeles, Norton Simon Foundation); zusammen mit zahlreichen weiteren französischen Arbeiten wird das Bild sogleich in der Galerie der New Bond Street ausgestellt. Diese Transaktion bewegt Renoir dazu, seine Stadtansichten von Paris wiederaufzugreifen. Vom ersten Stock eines Cafés am Quai herab malt er das Leben auf dem Pont-Neuf (1872, Washington, National Gallery) mit seinem eigentümlichen Sammelsurium von Omnibussen, Fiakern und Passanten – Militärs, Viktualienhändlerinnen, hemdsärmeligen Arbeitern, eleganten Bürgern und Kindern.

Vielleicht mögen seine Landschaften leichter einen Käufer finden als seine Genreszenen, denn in diesem Bereich ereilt ihn eine herbe Enttäuschung. Das Bild *Pariserinnen in algerischen Kostümen* (Tokio, Museum der westlichen Künste) wird vom Salon nicht angenommen, und die an den Direktor der Beaux-Arts, Charles Blanc, adressierte Eingabe für einen Refüsiertensalon wird ihrerseits abgelehnt. Womöglich hat man dieses Gemälde, das sich vom Delacroixschen Vorbild durch seinen poetischen Erotismus unterscheidet, als Anspielung auf Bordelle aufgefaßt, die ihren Kunden neben Schülerinnen- und Flagellantinnengelaß einen ausgesprochen beliebten Haremssaal bieten.

Nicht zu vernachlässigen ist eine weitere Inspirationsquelle: das Interesse, das Renoir laut dem Bericht seines Sohnes Jean für die schöne Judith Gautier gehegt hat. Noch vor dem Krieg hat der Maler den großen romantischen Schriftsteller Théophile Gautier kennengelernt, der ihm »bei der Anlage der Landschaften tüchtig geholfen hat«. Dessen Töchter »scheinen aus der Orientsehnsucht ihres Vaters geboren«, vermerkt Goncourt. »Judith ist eine wundervolle Frau«, bekennt der provenzalische Dichter Théodore Aubanel, der ihr in Avignon bei den Mallarmés begegnet, zusammen mit ihrem Ehemann Catulle Mendès, von dem sie sich bald trennen wird. Er fügt hinzu: »Jung, groß, dunkelhaarig, blaß, mit der Leibesfülle und der Lässigkeit der Orientalin. Diese Frau müßte man auf einem Tigerfell liegen und die Nargileh rauchen sehen.« Renoir ist vermutlich in diese leidenschaftliche Propagandistin des Japonismus und des Wagnerismus, die ihn im Halbdunkel eines mit Diwanen und Teppichen eingerichteten Salons auf einem Löwenfell liegend empfängt, verliebt gewesen. Doch er zieht die einfachen Freuden vor, und diese exotische Atmosphäre schickt sich nicht recht in den neuen Typus bildnerischen Ausdrucks, der sich unter seinem Pinsel entfaltet.

Über seinen Mißerfolg beim Salon tröstet Renoir sich durch einen Besuch bei Monet hinweg; der hat sich mittlerweile in Argenteuil angesiedelt. Renoir fängt seine Gastgeber in ihrem Alltagsleben ein: Monet, eine Melone auf dem Kopf, vertieft sich in eine Zeitung (Paris, Musée Marmottan) oder ein Buch (Upperville, Sammlung Mellon); Camille erholt sich bei der Lektüre des *Figaro* (Lissabon, Gulbenkian-Stiftung) oder pflückt, eingehüllt von einem Schwarm bunter Farbtupfer, einer Symbolfigur des jungen Impressionismus gleich, Blumen (Williamstown, Mass., Sterling and Francine Clark Art Institute).

Den Freunden fällt Renoirs Porträtistenbegabung auf, und sie empfehlen ihn in ihrem Bekanntenkreis weiter. Wahrscheinlich hatte Auguste de Pourtalès, Mitschüler bei Gleyre, die Hand im Spiel, als Renoir 1870 die Züge einer berühmten Schönheit des Zweiten Kaiserreichs, der Comtesse de Pourtalès (Cambrigde, Mass., Fogg Art Museum) festhält; 1877, im selben Jahr wie Madame Charpentier, wird sie ihm ein zweites Mal Modell stehen. 1871 wendet sich ein mit den Le Cœurs befreundetes Paar an ihn: Es entstehen das *Porträt Madame Darras* (New York, Metropolitan Museum of Art) und das *Bildnis des Hauptmanns Paul Darras* (Dresden, Gemäldegalerie). Dieser Offizier, der mit Bibesco am Mexikofeldzug teilgenommen hatte, übt sich auch im Malen. Er erwirkt die Genehmigung, daß Renoir, dessen Atelier zu klein ist, im Festsaal der Militärschule an dem ehrgeizigen Werk arbeiten kann, das er für den nächsten Salon vorbereitet: *Reiterin im Bois de Boulogne* (Hamburger Kunsthalle), auf dem der junge Joseph Le Cœur, im Sattel eines Ponys, neben Madame Darras dargestellt ist. Die blauen Schatten, der Eindruck der Geschwindigkeit und die Komposition aus der Nahperspektive vermitteln eine Heftigkeit, die sich zweifellos dem Umgang mit Cézanne, zu jener Zeit Renoirs Nachbar in der Rue Notre-Dame-des-Champs, verdankt.

Die Ablehnung des Gemäldes durch die Jury von 1873 ist eine weitere Enttäuschung. Castagnary, der es auf dem von Harpignies organisierten Refüsiertensalon sieht, findet den Versuch »stark und kühn, wenn auch nicht vollständig gelungen«. Daß »die Farbgebung durch ihre Neuartigkeit verwirrt« habe, meint Duret, der kurz zuvor *Lise* und *Im Sommer* erstanden hat, nachdem er dem Maler bei Degas begegnet war; dessen Begeisterung für die Arbeiten seines Gefährten erwies sich als überaus ansteckend.

Die Unterstützung seitens der Freunde stellt sich als notwendig heraus, denn Renoir macht eine jener Phasen der Niedergeschlagenheit durch, über die er später sagte: »Ohne Monet hätte ich aufgegeben.«

Die Blüte des Impressionismus

Eine immer deutlichere Befreiung des Pinselstriches und der Farbe, eine Vertiefung der neuen bildnerischen Methoden folgen bei Renoir auf die Entscheidung, sich nicht länger dem Gutdünken einer Jury zu unterwerfen.

Die Bilder, die Renoir in den Gärten von Montmartre malt – oder in den Vororten, damals munter, blühend, ihren Wappen gleich, die für Bougival einen Pflaumenbaum, für Chatou eine Heckenrose tragen –, sprühen vor Lebensfreude. Es ist der Frühling des Impressionismus, dessen heiteren Geist die Werke jener Zeit atmen.

Die Batignolles-Gruppe, die sich von der Republik unter Thiers, dann unter Mac-Mahon ebenso unverstanden fühlt wie im Kaiserreich, greift angesichts der Vielzahl von Ablehnungen im Jahr 1873 den Gedanken der Kollektivausstellungen wieder auf, die schon Bazille in den Briefen an seine Eltern vorgesehen hatte. Ein Artikel des mit Zola und Cézanne eng vertrauten Paul Alexis, »Paris qui travaille«, und eine Antwort Monets im Namen der bei ihm versammelten Maler erscheinen am 5. und 12. Mai 1873 im *Avenir national;* sie bekunden den

Wunsch nach einem »Verband ohne Cliquengeist: Die Künstler möchten nur ihre Interessen zusammenfassen, keine Systeme«. Nach Versammlungen den ganzen Herbst über, abgehalten in Renoirs neuem Atelier in der Rue Saint-Georges Nr. 35, konstituiert sich dann im Dezember die »Société anonyme coopérative des artistes peintres, sculpteurs, graveurs, etc.«. Renoirs zahlreiche Besuche bei Monet im Laufe des Sommers schlagen sich in Werken nieder, in denen die Handschrift der beiden Maler sich unerhört ähnelt: *Eisenbahnbrücke in Argenteuil* sowie *Ententeich.* Als Durand-Ruel 1913 Monet eins dieser Bilder vorlegt, weiß dieser nicht zu sagen, von wem es stammt.

Renoir trifft sich auch mit Charles Le Cœur, in Fontenay-aux-Roses, wo dieser ein Haus gekauft hat. Aber der Maler fühlt sich zu des Freundes sehr junger Tochter hingezogen, weshalb es im Jahr darauf zum unwiderruflichen Zerwürfnis mit dieser Familie kommt, der er so vieles verdankt.

Andere Frauen, andere Freunde, andere Kunstliebhaber tauchen in seinem Leben auf. Das zeigen seine Einreichungen zu den Impressionistenausstellungen und die aus diesem Anlaß erschienenen Kritiken. Zusammen mit Rouart ist er Kommissar der Veranstaltung, die der Bewegung den Namen gegeben hat und am 15. April 1874 in den Atelierräumen des Fotografen Nadar eröffnet wird. Als Edmond Renoir, der Redakteur des Katalogs, Monet nach dem Titel eines seiner Seestücke fragt, erklärt dieser: »Schreiben Sie *Impression – Sonnenaufgang.*« Sosehr die daraus hergeleitete Wortprägung florieren wird – der finanzielle Ertrag der Unternehmung ist kümmerlich; im Dezember löst eine allgemeine Mitgliederversammlung unter dem Vorsitz Renoirs die Kooperative auf.

Am 5. Mai stirbt Gleyre beim Besuch einer Ausstellung, wie Prousts Bergotte; hat er sich die seiner früheren Schüler angesehen? Renoir zeigt bei dieser Veranstaltung die Vielfalt seiner Fähigkeiten: Landschaften (*Erntearbeiter*, Zürich, Privatbesitz), Porträts in ganzer Figur (*Ballettänzerin*, Washington, National Gallery; *Die Pariserin,* Cardiff, National Museum of Wales, ein Bildnis der Schauspielerin Henriette Henriot) und Genreszenen (*Die Loge,* London, Courtauld Institute).

Wie bei Maupassant sind dies Splitter zeitgenössischen Lebens, die in verblüffender Präsenz dastehen. Es bedarf keiner Einzelheiten, ein unbestimmter, ortloser Hintergrund reicht aus, damit sich das spitze Gesicht von Madame Henriot abhebt und das Blau ihrer Toilette in allen Tonarten durchgespielt wird. Vielleicht ist der Titel des Bildes an diese Zeilen Banvilles angelehnt: »Die Pariserinnen ersinnen, vollbringen und vervollständigen in jedem Augenblick ein dingliches und lebendiges Werk, denn sie erschaffen sich selbst.«

Für die *Loge* hat Edmond Renoir mit einem Modell posiert, das ihm zufolge den derben Spitznamen Nini-Gueule-de-Raie (etwa: Furchenmaul) trug.

Das Bild huldigt dem mondänen Triumph der großen, perlen- und diamantbehängten Kokotten und dem Triumph des Geldes in einer Gesellschaft, die es sich zur Ehrensache gemacht hat, die von Deutschland erzwungenen Reparationen in Milliardenhöhe im Nu zu zahlen.

Unter der Feder des mit Renoir verhältnismäßig nachsichtigen Louis Leroy gehorcht das berühmte Satireblatt *Charivari* dem Gesetz der Gattung mit einer brillanten Persiflage, in der sich die Variationen über das Wort »Impression« nur so abspulen.

In *Paris à l'eau forte* nennt C. de Malte (sehr wahrscheinlich Villiers de l'Isle-Adam, wie Robert Thomson vermutet) Renoir als Haupt jenes »Stoßtrupps der sprühenden Farben« und schließt mit der Einladung, »dieses Feuerwerk rasender Paletten zu besichtigen, Sie werden davon ein neues Empfinden mitbekommen«. Im Laufe der folgenden Sommer bezieht sich diese Neuartigkeit auf die Wahl der Sujets: Gras, Wind, Wolken. *Ansteigender Weg im hohen Gras* (Musée d'Orsay) stellt den Pfad dar, nicht seine Mündung bei den Mühlen von Argenteuil, einem der schönsten Aussichtspunkte von Paris. Renoir arbeitet mit Monet auf dem Land oder überquert mit ihm die Seine, um die Segler bei Argenteuil zu malen, dem Zentrum des Pariser Jachtsports, das Manet 1874 in seinem Meisterwerk *Argenteuil* (Tournai, Musée des Beaux-Arts) verherrlicht hat. Von seinem Haus in Gennevilliers aus stößt letzterer hin und wieder zu ihnen. In Manets Fahrwasser pinselt Renoir mit einer von seinem gewohnten Stil abweichenden Roheit *Camille Monet und ihr Sohn Jean im Garten von Argenteuil.* Anderswo benutzt er, um die Schönheit der jungen Frau zu beschwören, lange, schmeichelnde Pinselstriche und nicht die für die neue Schule charakteristischen vielfarbigen Kommata.

Im März 1875 hält der Impressionismus mit Getöse Einzug ins Hôtel Drouot. Renoir hat Monet, Berthe Morisot und Sisley überzeugen können, mit ihm eine öffentliche Auktion zu versuchen, ein bei den Malern gängiges Finanzierungsverfahren. Burty schreibt das Vorwort für den Katalog. »Ein lächerlicher Tumult« entspinnt sich zwischen Anhängern und Verächtern der neuen Malerei, »aber vergessen Sie nicht«, vermerkt Arsène Houssaye, der eine *Sitzende Frau* gekauft hat, »daß alle Meister zunächst einmal erschreckt haben«.

Neue Kunstliebhaber treten auf, die Renoir in der Nachfolge Delacroix' situieren: Dollfus möchte eine Kopie der *Jüdischen Hochzeit*, Chocquet Porträts von seiner Frau und sich selbst, vor ihren Delacroixs sitzend. Sechs von fünfzehn Renoir-Werken stellt dieser Sammler bei der heftig umstrittenen, von Durand-Ruel organisierten Impressionistenausstellung von 1876 zur Verfügung. Auf den Plan tritt auch Caillebotte, der mit seinem Vermögen und seinem Kampfgeist einiges zur Lancierung des Impressionismus beitragen wird. Die Rechtspresse bringt sehr schroffe Kritiken, dagegen schreiben die Linksrepublikaner, etwa d'Hervilly und Blémont im *Rappel*, freundliche Stellungnahmen, was nun wieder dem hochoffiziellen *Moniteur universel* die Schlagzeile »Die Intransigenten der Malerei reichen den Intransigenten der Politik die Hand« gestattet. Zwei Gemälde erregen den Zorn der Traditionalisten: Cézannes *Eine moderne Olympia* (Musée d'Orsay) und Renoirs *Akt in der Sonne* (Musée d'Orsay), das der allmächtige Kritiker des Figaro, Albert Wolff, verreißt: »Versuchen Sie einmal, Herrn Renoir zu erklären, daß der Oberkörper einer Frau kein faulender Fleischklumpen mit violett-grünen Flecken ist, die den Zustand völliger Verwesung bei einem Kadaver anzeigen.«

Indes wird Renoirs Name bereits im Ausland bekannt; anläßlich des Bildes *Claude Monet mit Palette* (Musée d'Orsay) nennt Zola ihn im Petersburger *Westnik Jewropy* in einem Atemzug mit Rubens und Velázquez. Sein Pinsel beschreibt die künftig berühmten Gefährten Monet, Cézanne, Sisley und Pissarro; unbekannte Gesichter kommen hinter Ankäufen und Aufträgen zum Vorschein: Pourtalès, La Pommeraye und Auguste de Molins, der bei der Auktion von 1875 den *Stürmischen Wind* (Cambridge, Fitzwilliam Museum) und die *Junge Frau auf dem Feld* erstand. Die mit ihrem Kontrast zwischen den fliehenden Linien des Hintergrundes und der Vertikalität der Hauptfiguren so subtil komponierte *Junge Mutter (Der Spaziergang,* 1874, New York, Sammlung Frick) gehört Dr. Paulin. Dieser Freund, den er seiner Klientel weiterempfiehlt, ist auch ein von Degas hoch geschätzter Bildhauer; im Laufe der Zeit stehen ihm alle Impressionisten Modell, Renoir im Jahre 1901.

E s ist die große Zeit des Kaffeehauslebens. »La Nouvelle Athènes« an der Place Pigalle hat seit dem Krieg das Café Guerbois als Treffpunkt der Impressionisten abgelöst; aber Renoir verkehrt auch in anderen Lokalen, und anhand seiner Werke kann man seiner Spur folgen.

Im Laufe dieser außergewöhnlichen Jahre unterhält Renoir Beziehungen zu den unterschiedlichsten Gruppen. In der Rue Saint-Georges und in der Rue Cortot, wo er ein Atelier in einem wilden Garten gemietet hat, schart sich eine ganze Gruppe enger Freunde um ihn: Es sind Maler (Frédéric Cordey, Franc-Lamy, Michel de L'Hay, Gœneutte), Beamte (sein künftiger Historiograph Georges Rivière, Lhote, Lestringuez), Musiker (Cabaner und Chabrier, der später dank einer Erbschaft eine Sammlung impressionistischer Bilder erwerben kann). Man findet sich zu den Donnerstagstreffen bei Théodore de Banville ein, pflegt Kontakte zu den Parnassiens, den Symbolisten und den phantastischen Dichtern, trifft Catulle Mendès, Mallarmé, Léon Dierx und Villiers de l'Isle-Adam auf den ausgelassenen Soireen der Nina de Callias, deren Herz Franc-Lamy gewinnt, womit er Charles Cros ablöst. Die *Junge Frau am Klavier* (Chicago, Art Institute) erinnert an das Talent der Pianistin Nina ebenso wie

an das der schönen Komponistin Augusta Holmès, angeblich eine Tochter des Dichters Alfred de Vigny. Manierliche Zusammenkünfte finden am Boulevard Voltaire bei einem Freund Guillaumins, dem Konditor, Dichter und Maler Eugène Meunier, genannt Murer, statt; der hält mittwochs gemeinsam mit seiner Schwester Marie offene Tafel für die Impressionisten, deren Werke er bei seiner Kundschaft unterzubringen versucht, wie er damit auch seine eigene Sammlung aufbaut: »Gute Freunde, bei denen ich mich wie zu Hause fühle«, schreibt Renoir über sie.

M it dem Interesse, das ihm die Charpentiers bekunden, zieht ihn eine andere, weniger bohemehafte, aber ebenso intellektuelle Welt in ihren Bann. Gervais Charpentier war der Verleger der Romantiker gewesen, und sein Sohn Georges, genannt Zizi, »Verleger der Engel und Engel der Verleger«, wie Flaubert es ausdrückte, betreut die Naturalisten. Seine Mutter, verwandt mit dem Grafen Doria, der zehn Werke von Renoir besitzen wird, residiert in Bougival. Bei der Auktion von 1875 sehen sich der Maler und jener junge Charpentier, dem er vor dem Krieg in La Grenouillère begegnet war, wieder. Er kauft *Garten mit Dahlien* und *Angler* (Privatbesitz), und seine Frau ist begeistert. Ein Porträt von Madame Charpentier (Musée d'Orsay) und ein Bildnis ihrer ältesten Tochter Georgette sind dann bei der Impressionistenausstellung von 1877 vertreten. Im Salon der Charpentiers versammelt sich die Speerspitze der Avantgarde aus Literatur (Zola, Maupassant, Daudet, Edmond de Goncourt), Politik (Gambetta, Spuller, den Renoir porträtiert), Aristokratie (die Herzoginnen d'Uzès und de Rohan) und Bühne (Coquelin, die Samarys, Yvette Guilbert). Bei ihnen am Quai du Louvre wird das erste Stück im japanischen Stil, von Ernest d'Hervilly, gegeben, und als sie in die Rue de Grenelle umziehen, wünscht sich Madame Charpentier ein japanisches Boudoir. Dort stellt Renoir sie 1878 mit ihrem Sohn und ihrer Tochter dar (New York, Metropolitan Museum of Art). Er nennt sich »ihr Hausmaler«, pinselt für das Privathaus zwei Empfangsfiguren, dekoriert Spiegel und Kamine, illustriert Programme, Tischkarten sowie Texte für *La Vie moderne,* eine exklusive Zeitschrift, zu deren Gründung Madame Charpentier im Jahre 1879 ihren Mann bewogen hat und die von Emile Bergerat, später von Edmond Renoir geleitet wird. Er entwirft sogar eine Modeseite, »eine Woche Hüte, eine Woche Kleider«. Alphonse Daudet, der Renoir aus Vorkriegszeiten kennt und ihm bei den Charpentiers wiederbegegnet, lädt ihn 1876 nach Champrosay ein. »Auf dem Grab von Delacroix hab' ich Dir eine Rose gepflückt«, verkündet Renoir Franc-Lamy. Die Seineansichten und Bildnisse von Julia Daudet und ihrem Sohn Lucien stammen von diesem Aufenthalt. Wie Degas wird Renoir zum Stammgast bei den Pariser Diners der Daudets; und Proust erhält nicht nur von Jacques-Emile Blanche, sondern auch von Lucien Auskünfte, die ihm beim Entwurf der

Gestalt des impressionistischen Malers Elstir in *Auf der Suche nach der verlorenen Zeit* helfen.

In dieser Periode von 1873 bis 1883 setzt Renoirs Kunst mit unerhörtem Glück die Techniken des unregelmäßigen Pinselstrichs und der Komplementärtöne ein. Auf die Belebtheit der städtischen Szenen antwortet die Heiterkeit der Landschaften. Das Kahnfahren, bevorzugter Sport der Künstlerjugend, oder die Zusammenkünfte der Ruderer am Ufer oder in den Schenken bieten ein Schauspiel, das die Schlüsselelemente des Impressionismus vereint: Wasser, Spiegelungen, Bäume und das flimmernde Licht, das die zwanglose Erscheinung der Teilnehmer betont. Eines der typischen Werke aus dieser Zeit, *Die Ruderer von Chatou,* gehört Renoirs Freund, dem Kunsthändler Legrand, den er zuweilen in Conflans-Sainte-Honorine trifft. Manche im Garten der Rue Cortot angesiedelte Szenen münden in rein illusionistische Darstellungen von Paaren, die hinter einem Gewirr von Dahlien oder Rosen miteinander plaudern.

Die Gruppenausstellung von 1877 beruft sich mit ihrem Titel auf den Impressionismus und zeigt in den von Caillebotte angemieteten Sälen in der Rue Le Peletier dessen Quintessenz. Renoir gehört zum Hängekomitee und veröffentlicht in *L'Impressionniste,* einem von Rivière für die Dauer der Ausstellung gegründeten Organ, seine Meinung zur Kunst.

»Schon wieder Blau«, erregt sich Louis Leroy über seine Arbeiten, und Ballu befindet: »Lächerlich, dieses Ringen mit der Natur, und bedeutet das nicht, sich einer Niederlage auszusetzen, und zwar ohne Entschuldigungsgrund und Nutzen, weil es ja doch immer lächerlich bleiben wird?«

Zwei exemplarische Meisterwerke des Impressionismus erleuchten die Veranstaltung: *Die Schaukel* und *Tanz im Moulin de la Galette.* Sechs Monate lang hat Renoir die Örtlichkeiten immer wieder aufgesucht, zahlreiche Studien angefertigt und dabei sämtliche Freunde in diesem durch seine Kunst in ein volkstümliches Kythera verwandelten Gefilde posieren lassen.

Der finanzielle Mißerfolg der Ausstellung, der eine Auktion bei Drouot folgt, das Desaster der gerichtlichen Versteigerung bei Hoschedé, einem enthusiastischen Freund der neuen Schule, entmutigen Renoir; er »desertiert«, wie der italienische Kritiker Diego Martelli Freunden mitteilt, aus den Veranstaltungen seiner Gruppe, um, durch Madame Charpentier gefördert, 1878 zum Salon zurückzukehren. Seine Einreichung, *Die Frau mit der Tasse Schokolade,* findet nicht den Erfolg, den das äußerst nuancierte und zurückhaltende Bildnis seines bevorzugten Modells, Margot Legrand, verdient. Margot ist das vornehmste jener mit fünf Franc die Sitzung entlohnten Mädchen, für die Renoir große Zuneigung hegt: Nini Lopez *(Frau mit Flieder,* Sammlung Payson; *Der erste Schritt),* die Schwestern Estelle und Jeanne (Hauptfiguren in *Tanz im*

Moulin de la Galette), Angèle, die erotischste *(Frau mit Katze),* Alma, genannt Anna Lebeuf, die für die Akte posiert und an den Blattern stirbt – möglicherweise das Vorbild für Zolas Nana. Manche von ihnen schlagen eine Laufbahn als Schauspielerin ein, wie etwa *Die Leseprobe* zeigt; tatsächlich hat die so häufig dargestellte Henriette Henriot *(Auf dem Feld,* Privatbesitz; als allegorische Gestalt in der *Quelle,* Merion, Barnes Foundation; und, tief dekolletiert, auf dem Porträt in der National Gallery in Washington) Renoir ins Theatermilieu eingeführt. Seine Kompositionen schildern bald die Zuschauerinnen – eines der besten Beispiele dafür ist *Le Café-Concert* (London, Tate Gallery) –, bald die Schauspielerinnen; und selbst im Atelier fängt er die heitere Stimmung der Theaterelevinnen wieder ein. Er verewigt die Schönheit der Mademoiselle Darlaud, ihrer Schwester Marie-Louise Marsy – unvergeßliche Interpretin der Molièreschen Celimène – sowie der Jeanne Samary, die 1874 den großen Preis des Conservatoire erhalten hat und in *Le Monde où l'on s'ennuie* von Edouard Pailleron ihren größten Erfolg erleben wird. Die Anbeter dieser strahlenden Schönheit sind Legion. 1882, bei ihrer Hochzeit mit dem Wechselmakler Paul Lagarde in der »schicken« Eglise de la Trinité, drängeln sich Maler, Journalisten, Freunde und all die kleinen Arbeiterinnen, deren Traum sie ist, bis in den – von Renoir mehrmals dargestellten – Hof. Beim Salon von 1879 hängt ihr Bildnis in ganzer Figur (Leningrad, Eremitage) neben *Madame Charpentier und ihre Kinder* (New York, Metropolitan Museum of Art) – für den Künstler die erste Sprosse auf einer Leiter ununterbrochener Erfolge. In diesem Jahrzehnt arbeitet die Mundpropaganda stets zu seinen Gunsten. Sehr wahrscheinlich hat Bibesco ihn seinem Landsmann, dem Doktor Bellio, weiterempfohlen, dessen Sammlung im Musée Marmottan erhalten ist. Von Pourtalès wird er Dollfus vorgestellt, von Duret Deudon, von Deudon Bérard, von Bérard seinem Teilhaber Grimprel, von Ephrussi den Cahens d'Anvers. Porträtaufträge gibt es im Überfluß; in einem Brief an Zola freut Cézanne sich für Renoir. Eines dieser Bildnisse, *In der Oper* (1881), zeigt die Gattin des früheren Staatssekretärs Turquet und ihre Tochter, deren schmollendes Profil gegen die strahlende Schönheit der Mutter absticht. Renoir ist einer der feinfühligsten Kindermaler; sein jugendlicher Charakter, seine rasche Hand, von der Edmond Renoir dem Kunsthistoriker John Rewald berichtet hat, und die Angewohnheit, seine Modelle sich ungezwungen bewegen zu lassen, wirken Wunder: Beispiele finden sich in der Würde der Jeanne Durand-Ruel (Merion, Barnes Foundation), der velázquezartigen Pracht der kleinen Cahens d'Anvers (São Paulo, Museu de Arte) und der Natürlichkeit von Marthe Bérard, zum Krabbenfang aufbrechend. Bei den Bérards in Wargemont, in der Nähe von Dieppe, ist Renoir ein häufiger Gast. Er dekoriert zahlreiche Villen in Puys und Umgebung und wird 1879 und 1881 vom Sohn des Doktors Blanche, Jacques-Emile Blanche, eingeladen, dessen Mutter sich über das schlechte Vorbild des Künstlers beschwert, der »Geld verdient und es ganz leichtfertig ausgibt, kotige Schuhe hat und ein Bild von nackten, in der Sonne badenden Kindern machen will«.

Eines dieser normannischen Gemälde, *Muschelfischerin bei Berneval* (Merion, Barnes Foundation), hängt beim Salon von 1880 gemeinsam mit den Werken Monets im scheußlichen Licht der Galerie: »Da können Sie sehen, wie Wolff die Galerie behandelt, dabei hängen dort Werke von Renoir und anderen bekannten Leuten«, bemerkt Marie Baschkirzew. Auf Cézannes Ersuchen tritt Zola im *Voltaire* für die Maler ein.

In diesem Jahr schließt Renoir eine folgenreiche Bekanntschaft mit der jungen Schneiderin Aline Charigot aus der Champagne, die von ihrer Mutter zum Modellstehen in sein Atelier gebracht wird. Sie wird ihm drei Söhne schenken und Geschmack am – wenn auch wenig häuslichen – Familienleben geben. »Meine Frau ist vernarrt ins Reisen«, meint Renoir später. Aline erscheint im Vordergrund des *Frühstücks der Bootsfahrer* (Washington, Phillips Memorial Gallery), eines seiner Hauptwerke, das er Bérard in folgenden Worten ankündigt: »Ich mache ein Bild mit Ruderern, das mich schon lange juckt. Ich werde langsam alt, und ich wollte dieses kleine Fest nicht aufschieben, für dessen Kosten ich später nicht mehr werde aufkommen können, es ist schon jetzt sehr teuer ... Hin und wieder muß man sich an Dinge wagen, die über die eigenen Kräfte hinausgehen.«

Ein ganzer Freundeskreis hat sich auf der Terrasse des Restaurants Fournaise auf der Insel vor Chatou versammelt, einem berühmten Ort, an dem Flaubert, die Rothschilds, Lebaudy und Maupassant (der ihn in *La Femme de Paul* beschreibt) verkehren. Renoirs Arbeit war, wie er Bérard anvertraut, durch »eine Luxuskokotte ..., die posieren wollte«, ins Stocken geraten. Jene junge blonde Frau, über die sich der Journalist Maggiolo beugt, könnte, so vermutet Jean Renoir, die Schauspielerin Ellen Andrée sein, eher aber wohl die gerade eng mit dem Maler Henri Gervex liierte Valtesse de La Bigne, die in Ville-d'Avray ein Haus besitzt.

Im Winter darauf trifft sich Renoir mit Edmond in Nizza, beauftragt Ephrussi mit seiner Einreichung beim Salon und setzt dann mit Lestringuez, Lhote und Cordey nach Algerien über. »Alle Welt sagt mir, daß es nie regnet«, läßt er Madame Charpentier wissen, »aber bisher konnte ich keinen Fuß vor die Tür setzen, ohne mich gleich umziehen zu müssen.« Vielleicht wird er »ein oder zwei Landschaften« mitbringen, andererseits hat er Modelle gefunden, aber »die Frauen sind arg unzuverlässig. Ich habe eine Heidenangst, etwas anzufangen und es nicht fertigzubekommen«.

Im März 1881 antwortet er Durand-Ruel, der ihn zum Arbeiten nach England schicken möchte: »Gewiß werde ich nach London kommen, aber nicht vor Ende April, denn ich bin in Algier ... Mir liegt daran, dieses Jahr London zu sehen, und die Hitze Algeriens wird die Feinheit Englands ins rechte Licht setzen.«

Duret erwartet ihn in der englischen Hauptstadt, doch bei seiner Rückkehr überlegt Renoir es sich anders und beauftragt Whistler im Laufe eines Mittagessens in Chatou, dem Kritiker diesen Sinneswandel zu erklären: »Ich kämpfe mit blühenden Bäumen, mit Frauen und Kindern, und will nichts anderes sehen.«

Was ihn so beschäftigt, ist ein Bildnis der Mademoiselle Darlaud, *Auf der Terrasse* (Chicago, Art Institute). Buntfarbene Wollknäuel auf dem Schoß der jungen Frau, die der Flußlandschaft den Rücken zukehrt, korrespondieren mit den Blumen an den Hüten. Degas umschrieb die Geschmeidigkeit der Kunst Renoirs, die er der Monets vorzog, mit dem Satz: »Habt ihr einmal eine Katze mit Wollknäueln spielen sehen?« Später unternimmt Renoir dann besagte Reise, von der die ihn begleitenden Freunde Heldenhaftes berichten, wie Gervex überliefert: Renoir, der die Überfahrt mit allergrößtem Enthusiasmus anging, ließ beim bloßen Anblick des Londoner Nebels den Mut sinken und nahm noch am selben Abend die Fähre zurück. Im Herbst bricht er in Begleitung Alines nach Italien auf; er bereist es von Venedig (sehr an Whistler gemahnend sein Gemälde *Venedig im Nebel,* Washington, Privatbesitz) bis Kalabrien und macht auch auf Capri halt, wo er einen monumentalen blonden Akt malt, für den Aline Modell sitzt. Da ihn seine Freunde Lascoux und Jules de Brayer um ein Wagner-Porträt gebeten haben, begibt er sich nach Sizilien. Er selbst ist ein Wagnerianer der ersten Stunde und malt mit Vergnügen ein allerdings etwas mattes Konterfei des Meisters, der gerade den *Parsifal* vollendet. Auf der Rückreise hält ihn eine Lungenentzündung in L'Estaque fest. Cézanne pflegt ihn hingebungsvoll, aber Renoir braucht lange, um sich zu erholen, und verbringt die Zeit seiner Genesung in Algerien.

Während seiner Abwesenheit ist er auf der siebten Impressionistenausstellung bei Durand-Ruel vertreten, jedoch ausschließlich mit Bildern aus dem Besitz des Händlers, der hartnäckig um seine Einwilligung kämpfen mußte. Gleichzeitig möchte Renoir unbedingt ein Porträt beim Salon zeigen (*Mademoiselle Yvonne Grimprel*), wie er in einem Brief erkennen läßt: »Ich stelle mit Guillaumin aus, ich kann also getrost mit Carolus-Duran ausstellen.«

Die goldenen Jahre des Impressionismus verklingen in Streitigkeiten und Gezeter. Überdies haben Murers Aufbruch nach Auvers-sur-Oise und Cabaners, vor allem aber Manets Tod im Mai 1883 Lücken hinterlassen. An Manet hatte Renoir aus Algerien geschrieben: »Sie sind der vergnügte Kämpfer, der wie ein alter Gallier gegen niemanden Haß hegt, und ich liebe Sie wegen dieser Fröhlichkeit, die Sie noch angesichts der Ungerechtigkeit haben.«

Zu Ende geht eine Epoche, die in Renoirs Einzelausstellung bei Durand-Ruel durch drei große Bilder zum Thema des Tanzes symbolisiert scheint. Aline Charigot stand auf der Terrasse des Hôtel Fournaise für den *Tanz auf dem Land* (Musée d'Orsay) Modell, Suzanne Valadon posierte für *Tanz in Bougival* (Boston, Museum of Fine Arts) und *Tanz in der Stadt* (Musée d'Orsay), deren strengerer Stil einen Wechsel der Manier ankündigt.

Das harte Ringen um den Klassizismus

»Um 1883 kam es zu einem Bruch in meinem Werk«, bekennt Renoir gegenüber Vollard. »Ich war bis ans Ende des Impressionismus gegangen und gelangte zu dem Schluß, daß ich weder malen noch zeichnen könne. Mit einem Wort, ich befand mich in einer Sackgasse.« Diese Verunsicherung, dieses Unbehagen steht am Ursprung einer Änderung seiner Manier, die sich über mehrere Jahre hinzieht. »Herb«, »spröde«, »ingresk«, so die Kritiker, entsteht dieser neue Stil aus dem Erforschen der Linie (klarer), der Farben (blasser), der Pinselführung (glatter), der Stofflichkeit (Reduzierung des Bindemittels, um eine freskenähnliche Mattheit zu erzielen). Ansätze zu einer Veränderung hatten sich bereits in den Jahren zuvor abgezeichnet. Seine Freunde bemerkten dies in der auf Capri gemalten *Blonden Badenden* (Williamstown, Mass., Sterling and Francine Clark Art Institute), die dem Juwelier Henri Vever gehörte, einem begeisterten Anhänger des Japonismus. Bei Renoir macht sich der bekannte Einfluß des Japanholzschnitts auf den Impressionismus weniger geltend als bei Degas oder Monet, aber er hat doch Anteil an der Verwendung stärker gezeichneter Konturen und betonter Flächigkeit. Renoirs ästhetisches Wirrsal setzt übrigens in ebendem Jahr ein, als bei Georges Petit die große Ausstellung japanischer Kunst stattfindet, über die Pissarro anmerkt: »In der Kunst dieses erstaunlichen Volkes herrschen eine Ruhe, eine Größe, eine außerordentliche Einheitlichkeit, ein eher stumpfer Glanz, und dennoch ist das brillant – welch eine Besonnenheit, welch ein Geschmack.«

Der Übergang vollzieht sich innerhalb eines Gemäldes selbst, in den *Regenschirmen* (1881–1885, London, National Gallery), deren Thema leise an Grafiken von Manet (*La Queue à la boucherie,* Paris, Bibliothèque Nationale) und Hokusai erinnert. In der bewundernswert komponierten Szene macht sich eine Zweiteilung bemerkbar: rechts ungleichmäßige, die junge Bürgersfrau und ihre Kinder anmutig schildernde Pinselstriche, links die klar umrissene Figur der Grisette, gekleidet in jenes graue Tuch aus Castres, dem sie den Namen verdankt und das fast die Einheitskleidung der Arbeiterinnen und kleinen Handwerkerinnen darstellt. Diesem Gegensatz in der Technik gesellt sich, was bei Renoir ziemlich selten ist, ein soziales Moment bei: Auf der einen Seite sieht man die Familienmutter, auf der anderen das barhäuptige Laufmädchen (Aline? Suzanne Valadon?), gefolgt von einem eleganten Fußgänger (Edmond Renoir? Lhote?). Vielleicht steht die Anfertigung dieses großen Gemäldes – wie auch der drei *Tänze* – in Zusammenhang mit der Hoffnung auf einen Staatsauftrag. In der Tat äußerte ein offener Brief, den der frühere Direktor der Beaux-Arts, Philippe de Chennevières, an den Minister richtete, den Wunsch, man möge, um die zeitgenössische Schule besser bekannt zu machen, den modernen Künstlern, darunter »Manet und seinen Schülern«, das heißt der impressionistischen Schule, Wände – etwa im neuen Trocadéro – zur Verfügung stellen.

Der Meister der *Olympia* starb im Mai 1883, während bei Durand-Ruel eine Reihe von Privatausstellungen jener Künstler stattfand, die er mit seiner Leidenschaft für das Zeitgenössische angesteckt hatte. Duret schreibt die Einführung zur Ausstellung Renoirs, der sich in den folgenden Jahren immer enger dem Familien- und Freundeskreis (Eugène Manet und dessen Frau Berthe Morisot, Mallarmé) des verstorbenen Gefährten anschließt.

Von seinem ästhetischen Wirrsal ist in den Werken, die im Spätsommer an den Stränden der Kanalinseln entstehen, noch nichts zu spüren. Begleitet von Aline und einer Freundesschar, besucht er Jersey, »wie einfache Bürgersleute«, schreibt er Bérard, »denn jetzt fehlt mir bloß noch die Schweiz, dann bin ich der vollendete Konfektionär«, aber das Ziel dieser Reise ist Guernsey, wo seit dem Exil Victor Hugos die Sommergäste »auf dem Felsen, der den Dichter seufzen sah« defilieren. Um für seine »Untreue gegenüber der Normandie Nachsicht zu erlangen«, will er Bérard »schöne Bilder« mitbringen, was er ebenfalls Durand-Ruel verspricht, der ihn rührig auf dem internationalen Markt lanciert, indem er seine Arbeiten in London, Boston und Berlin zeigt.

Von Guernsey ist Renoir sehr angetan: »Nichts so hübsch wie dieses Gemenge von Frauen und Männern auf den Klippen, man glaubt sich viel eher in einer Landschaft von Watteau als in der Wirklichkeit … Hinreißende Badeanzüge, und wie in Athen ist den Frauen durchaus nicht bang vor der Nachbarschaft der Männer auf den Klippen nebenan.« Die Jugendlichen in diesen Strandszenen, *Kinder am Meeresufer* (Boston, Museum of Fine Arts), *Badende auf Guernsey* (Privatbesitz), »dem Meer verbunden wie die Möwen«, »frisch wie Rosen am Meeresufer«, vermitteln einen Vorgeschmack auf die Träumereien Prousts: »Leichte Lieben mit jungen Mädchen in Blüte, erlesene Nahrung«, sagte der Schriftsteller, »die ich allenfalls meiner Phantasie erlauben könnte.« Ende Dezember 1883 teilt Cézanne Zola mit: »Ich habe Monet und Renoir gesehen, die zur Sommerfrische nach Italien gefahren sind.« Sie folgen der Küste von Marseille bis Genua – »Alles ist großartig. Horizonte, von denen man keine Ahnung hat …« –, haben aber bloß »Leinwände bekleckert und Farben verbraucht«. Kurze Zeit später bricht Monet erneut auf, bittet jedoch Durand-

Ruel, Renoir nicht von seiner Abreise zu benachrichtigen, da er lieber allein arbeite. Als sein Kamerad davon erfährt, macht er kein Aufhebens davon und schreibt ihm: »Ich sitze noch immer in Paris fest und langweile mich kräftig, und ich renne dem unausfindlichen Modell hinterher, aber leider bin ich nun einmal Figurenmaler.«

Seine erste Italienreise hat ihm die Augen für die großartigen Inszenierungen Carpaccios, die Monumentalität der Akte Veroneses und die Vollkommenheit Raffaels geöffnet, und von den Dekorationen des letzteren für den Palast der Farnese zeigt er sich entzückt: »Das ist wirklich schön, und ich hätte es eher sehen sollen. Es steckt voller Kenntnis und Weisheit. Er hat nicht wie ich nach Unmöglichem getrachtet. Aber schön ist es. In den Ölgemälden ziehe ich Ingres vor, die Fresken aber sind bewundernswert in ihrer Schlichtheit und Größe.«

Seine Fragen nach alten bildnerischen Techniken finden ihre Beantwortung zum Teil in einem Werk, das ihm Franc-Lamy zu lesen gegeben hat: im *Trattato della pittura* von Cennino Cennini, den der Ingres-Schüler Mottez 1858 übersetzt hatte.

Bei der Ergründung der Ursachen, die diese Abwendung vom Impressionismus herbeiführen, darf man den Einfluß des – immerhin von dieser Schule völlig eingenommenen – Bérard-Kreises nicht außer acht lassen. Renoir muß mehr oder minder bewußt für das gemessene Klima dieser protestantischen Familie empfänglich gewesen sein; manche Porträts (*Thérèse Bérard*, 1879, Williamstown, Mass., Sterling and Francine Clark Art Institute; *Madame Paul Bérard*, 1879, Privatbesitz; *Margot Bérard*, 1879, New York, Metropolitan Museum of Art) unterscheiden sich in ihrer luminösen Würde von seinem übrigen Werk. Die Ausprägung all dieser Tendenzen führt im Sommer 1884 zu dem meisterlichen *Nachmittag in Wargemont* (Berlin, Nationalgalerie), dessen Kraft mit dem übereinstimmt, was Degas in der *Familie Bellelli* (Musée d'Orsay) anstrebte. Der Impressionismus ist vor die Salonfenster, in die Tupfer der sonnenbeschienenen Aue verwiesen. Der Lokalton wird eingehalten, die Farbübergänge zwischen Kleidern, Haaren und Möbeln verfließen. Die geläuterte Atmosphäre, die Ton-in-Ton-Malerei, blau auf der linken, rot und gelb auf der rechten Seite, hebt drei Stationen der Kindheit hervor: die Zeit der Puppen, die der Lektüre und die der Stickerei.

In diesem Jahr führen die ständigen Streitigkeiten in der Welt der Kunst zum ersten Salon der Unabhängigen. Seurat zeigt dort die *Badenden in Asnières* (London, Courtauld Institute), deren Gemessenheit dem *Nachmittag in Wargemont* gleichkommt. Ein Jahr später wird der Neoimpressionismus mit ganzer Macht in Erscheinung treten. Noch ein Jahr darauf setzt Gauguin dem impressionistischen Verfließen seinen Cloisonnismus entgegen.

1884 wird in Brüssel auch die erste Ausstellung der Gruppe »Les Vingts« abgehalten, bei der die Avantgarde versammelt ist. Renoir, dem Emile Verhaeren damals lobende Zeilen widmet, nimmt 1885 mit älteren Arbeiten an der zweiten dieser Veranstaltungen teil. Seine Überlegungen stehen zu den Strömungen der neuen Generation, wenn sie auch parallel dazu verlaufen, im Gegensatz. Als sich die Unabhängigen – ein Wort, das er lächerlich findet und bei der Wahl als Titel der siebten Impressionistenausstellung nicht billigen wollte – gründen, denkt er selbst über die Einrichtung eines neuen Verbandes nach: einer Gesellschaft der Irregularisten. Ein Brief an Durand-Ruel erläutert: »Die Natur verabscheut das Regelmaß [...], und in ihren Hervorbringungen [...] haben die großen Künstler sich davor gehütet, dieses Prinzip zu übertreten [...]. In einer Epoche, da unsere französische Kunst, noch bis Anfang dieses Jahrhunderts voll von eindringlichem Liebreiz und erlesener Phantasie, zugrunde gehen wird unter dem Regelmaß, der Dürre, der Manie falscher Perfektion, um derentwillen der Bauplan des Ingenieurs derzeit zum Ideal zu werden neigt, scheint es uns nützlich, zügig zu reagieren.« Der neue Verband soll Maler, Dekorateure, Architekten, Goldschmiede und Sticker umfassen. Alle Ornamente würden nach der Natur gemacht, »eine vollständige Grammatik der Kunst, die die ästhetischen Grundsätze der Gesellschaft abhandelt, wird noch veröffentlicht«. Doch wird sich dieses Projekt, bei dem man Lionel Nunès, einen Verwandten Pissarros, um Mitarbeit ersucht hatte, zerschlagen.

Andere Erwerbs- und Familiensorgen halten Renoir in Atem. Durand-Ruel, der seit dem Konkurs der Union générale des banques in heikelsten Finanzschwierigkeiten steckt, läßt er nicht im Stich, ganz im Gegenteil, er gewährt ihm beim Preis seiner eigenen Werke jeden Spielraum: »Sollten Sie zu Einbußen gezwungen sein, so bedauern Sie nichts, denn ich werde Ihnen andere und bessere [Bilder] machen.« Sein Beistand ist ebenso beherzt, als es zwischen dem Händler und dessen Zunftgenossen Boussod et Valadon wegen eines falschen Daubigny zum Prozeß kommt.

Mit Aline, die ihm einen Sohn geboren hat – Pierre, der zukünftige Schauspieler, dessen Pate Caillebotte ist –, läßt er sich im Laufe des Sommers 1885 in La Roche-Guyon, dem Dorf Auguste Guerbois', nieder. Dort hat er Cézanne mit seinem Sohn und seiner Gefährtin bei sich zu Gast. Unter den Quellen für Renoirs Klassizismus darf das Ziel des Meisters aus Aix-en-Provence, »Poussin nach der Natur zu machen«, nicht vernachlässigt werden; so konstruiert er eine Landschaft von La Roche-Guyon ganz nach cézannescher Art und behandelt sie in jenen rechteckigen Pinselstrichen, die sein Kamerad damals verwendet.

»Zu sehr in seine Versuchsreihe vertieft, um ohne Bedauern davonzulaufen«, findet er während seines ersten Aufenthalts in Essoyes ein Thema, das ihn zufriedenstellt, indem er sich von Aline, die Pierre die Brust gibt, zu einem Mutterbild anregen läßt, von dem er dann mehrere Versionen ausführen wird. Octave Mirbeau findet, »daß es in seiner Originalität den Reiz der Primitiven, die Klarheit der Japaner und die Meisterschaft Ingres' ausstrahlt«. Dieser Satz läßt sich auch auf die Darstellungen Badender übertragen, etwa auf die *Sich frisierende Badende* (1885, Williamstown, Mass., Sterling and Francine Clark Art Institute), in der sich die strenge Linearität der Figur und der wie die Odalisken des *Türkischen Bades* (Paris, Musée du Louvre) gleichsam schmelzüberzogene Körper gegen den in parallelen, an Pastell erinnernden Pinselstrichen rasch aufgebauten Hintergrund abheben. Für manche Bilder aus der Serie der Badenden saß Suzanne Valadon Modell; sie ist auch die italienisierte Figur in dem für diese Periode typischen Werk *Der Zopf* (Privatbesitz). Suzanne Valadon posierte für den *Heiligen Hain* von Puvis de Chavannes, der sie Renoir empfohlen hatte, als dieser den *Tanz in Bougival* malte.

Die Starre der Darstellung löst sich und wird nuancierter in zweien der vier Bildnisse (1885) der Kinder Doktor Goujons, Senator des Départements Ain und Bürgermeister des XII. Arrondissements, der zweimal in der Woche offene Tafel hält, einmal für die Politiker, zum andernmal für die Künstler. Der durchdringende Blick in *Mädchen mit Reif* (Washington, National Gallery) und *Kind mit Peitsche* (Leningrad, Eremitage), herrischer als in Renoirs früheren Kinderbildnissen, läßt an Goya denken.

Während Durand-Ruel sich bemüht, mit einer New Yorker Ausstellung von 310 Bildern, darunter 38 von Renoir, den Impressionismus auf dem amerikanischen Markt zu lancieren, entdeckt das französische Publikum in der eleganten Galerie Georges Petit einen neuen Renoir. Der stellt dort wieder einmal gemeinsam mit Monet aus, nachdem beide die Teilnahme an der achten Impressionistenausstellung ausgeschlagen haben. In der Tat zeigt er neben den Porträts von Madame Bérard, Madame Clapisson und Madame Charpentier ein *Mutterbild* – einen sehr braven Beitrag, der Félix Fénéon, den feinsinnigen Verteidiger des Neoimpressionismus, zu der Bemerkung veranlaßt: »Er wird seine guten Bilder behalten haben, und wir werden diesen strahlenden Maler der Pariser Epidermis, [...] der Paare, die sich in gelblichen Lichtern bewegen, erst durch seine früheren Ausstellungen kennenlernen.«

Während Renoirs Sommeraufenthalt in Saint-Briac, wo er auf den Besuch Monets hofft, wird seine schöpferische Bedrängnis nur noch schlimmer. *Die Hirtin (Die Kuh und das Schaf,* Privatbesitz) kommt vom Sujet und der vage pointillistischen Technik her Pissarro nahe. Stets ruhelos, wischt Renoir unentwegt aus und beginnt von neuem. Das Gemälde, in dem all seine Bemühungen um einen Wandel zur Synthese kommen, *Badende, Versuch dekorativer Malerei,* genannt *Die großen Badenden* (Philadelphia Museum of Art), wird 1887 bei Georges Petit gehängt. Monet findet das Bild »großartig, nicht von allen verstanden, aber von vielen«. Pissarro erkennt die »unternommene Anstrengung« an, findet aber die »Synthese auf dem Holzweg«. Wenigen Werken Renoirs waren so viele Skizzen und

Zeichnungen vorausgegangen. Das Gemälde, das Jacques-Emile Blanche gehörte, versammelt verschiedene Posen, die an Girardons Basrelief *Bad der Nymphen* (im Park von Versailles), Ingres' Akte und, wie Charles Boime bemerkt, Gleyres Arbeiten angelehnt sind. Für den jungen symbolistischen Kritiker Théodore de Wyzewa, der damals mit Renoir Freundschaft knüpfte, bleiben die *Badenden* »das Zeugnis jener Jahre des Suchens und Schwankens. Nie könnte ich die übernatürliche Empfindung vergessen, die dieses Gemälde bei mir ausgelöst hat . . ., diese köstliche Mischung aus Vision und Traum«.

Übrigens notierte Berthe Morisot, nachdem sie im Januar 1886 Renoirs Atelier besucht hatte: »Ich glaube nicht, daß man in der Wiedergabe der Form weiter gehen kann. Zwei Aktzeichnungen von ins Meer steigenden Frauen nehmen mich genauso ein wie die von Ingres. Er sagte mir, der Akt erscheine ihm als eine unentbehrliche Form der Kunst.«

Ein mit einem langen Haarschopf drapierter Akt schmückt den Umschlag von Mallarmés Gedichtband *Pages* (1891). 1887 hatte der Dichter für die Illustration des unter dem Titel *Tiroir de laque* geplanten Werkes bei Monet, Degas, Brown, Renoir und Morisot angefragt. Diese antwortete: »Renoir und ich sind ziemlich sprachlos, wir benötigen Erklärungen.« Renoir wird als einziger wie vorgesehen seine Radierung für Mallarmés Hymne an die weibliche Schönheit, *Le Phénomène futur,* einreichen: »Anstatt des eitlen Kleides hat sie einen Leib, und die Augen, raren Steinen gleich, wiegen den Blick des glücklichen Fleisches nicht auf.« Dieser Zauber der Jugend und des Fleisches wird in den folgenden Jahren mehr und mehr erblühen.

Das Perlmutt der Kindheit und der Jugend

Die Zeit der Experimente ist beendet. 1888 und 1889 zeigen sich noch episodisch ein paar Spuren der herben Manier, etwa die ein wenig starre Gebärde in der *Sich abtrocknenden Badenden* (Winterthur, Privatbesitz) oder eine gewisse Steifheit bei *Madame Robert de Bonnières* (Paris, Musée du Petit Palais), dem Bildnis der Gattin des Schriftstellers, bei dem Wyzewa als Sekretär arbeitet. In den Kinderporträts stand das Schneidende dieses Stils stets im Dienst der scharfen Beobachtung, ob es sich nun um das vortreffliche Bildnis von Berthe Morisots Tochter, *Julie Manet mit Katze* (1887, Privatbesitz), handelt oder um *Die Töchter Catulle Mendès' am Klavier* (Sammlung Annenberg), ein Gemälde jener drei entzückenden Mädchen, die Renoirs alter Freund mit Augusta Holmès hatte.

Diese Bilder gehören zu den neunzehn Gemälden, die auf der von Caillebotte, Sisley, Whistler, Boudin, Lépine, Lewis und Berthe Morisot im Jahr 1888 bei Durand-Ruel ausgerichteten internationalen Ausstellung vertreten sind. In einem Brief an Monet vermerkt die Morisot, das Unternehmen sei »ein glatter Reinfall«, für den, wie sie meint, »alle ein

Teil Verantwortung zu tragen haben, bis auf Whistler und Renoir«. Magnard, der Direktor des *Figaro*, dem Mirbeau Artikel über diese beiden Künstler vorschlägt, äußert »Einwände gegen Renoir, den Renoir von heute mit seinem Hang zur Karikatur«, und Pissarro stellt fest, daß Renoir seit dem Wechsel seiner Manier »keine Gelegenheit zu Porträts mehr findet«.

Indes schreibt van Gogh in Arles in einem Brief an seinen Bruder Theo: »Ich denke an Renoir hier, an seine klare und deutliche Zeichnung. Genauso sind die Figuren hier in der Helligkeit.«

Um »die zu teuren Pariser Modelle zu fliehen«, macht Renoir seit 1888 oftmals Station auf dem Land in Essoyes, dem Geburtsort seiner Frau, wo die beiden 1895 ein Haus kaufen. Eine Besänftigung, ein länger ausgemalter Pinselstrich, eine Ahnung von jenem Divisionismus, den er gründlich verachtet, treten in den *Wäscherinnen* hervor (Baltimore, Museum of Art). Ein undatierter Brief an Durand-Ruel zeigt an: »Ich habe die alte Malerei, die sanfte und leichte, wiederaufgenommen, um sie nicht mehr zu verlassen ... (Fragonard in weniger gut) ... Sie können mir glauben, ich vergleiche mich nicht mit einem Meister des Dixhuitième, aber trotzdem muß ich Ihnen erläutern, in welche Richtung ich arbeite. Diese Leute, die sich ausnehmen, als machten sie keine Natur, wußten mehr davon als wir.« Der sonnendurchflutete Glanz der kleinen Ährenleserin, genannt *Kleines Mädchen mit Garbe* (São Paulo, Museu de Arte), nähert sich den früheren Werken, indes wird Renoirs Manier nie mehr dieselbe sein wie zu Zeiten des *Moulin de la Galette:* Sie ist schmeichelnder, geschmeidiger geworden, und diese Merkmale behält sie. 1888 tritt als erstes Anzeichen körperlicher Mißlichkeiten eine Gesichtslähmung auf, die den Maler daran hindert, Berthe Morisots Einladung zu einem Aufenthalt im Süden zu folgen. Als er 1880 zum erstenmal den Arm gebrochen hatte, meinte Pissarro, er habe »vorzügliche Bilder mit der linken Hand gemalt«. 1897 wird eine zweite Fraktur durch einen Sturz vom Fahrrad seine gesundheitlichen Leiden verschlimmern.

Unzufrieden mit allem, was er bis dahin gemacht hat, lehnt Renoir eine Beteiligung an der Weltausstellung von 1889 ab und akzeptiert erst 1890, nach langem Zögern und inständigem Drängen seitens Wyzewas, Bilder zu einer Ausstellung der »XX« zu senden, die für seinen Geschmack zu »kleinlich« sind. Die schlechte Hängung der *Töchter Catulle Mendès'* beim Pariser Salon hilft seiner Niedergeschlagenheit nicht gerade ab. Es ist beschlossene Sache, er wird nicht länger gegen das Unverständnis der Jury ankämpfen. Dennoch befestigt die große, von Durand-Ruel organisierte Retrospektive von 1892 den Erfolg »dieses Meisters, der sich die ganze Unbefangenheit des Eindrucks und der Lebhaftigkeit des Zwanzigjährigen bewahrt hat«, so sein Vorwortschreiber Arsène Alexandre. Die meisten seiner Bilder behält sich der Mann vor, den er zärtlich den

»Père Durand« nennt, was ihn zuweilen nötigt, »Bilder um des Gefallens willen zu machen«, wie er Pissarro gesteht.

Um seine Motive zu variieren, reist Renoir – sei's mit oder ohne Aline – viel umher und folgt darin dem Vorbild Corots, zu dessen Gedächtnis er 1890 La Rochelle aufsucht. Seine Mutter, seine Schwester und Victor, die er finanziell unterstützt, sehen ihn häufig in Louveciennes auftauchen, wo auf seinen Rat hin Doktor Baudot, der Vater von Jeanne Baudot, seiner Schülerin seit 1893, ein Haus kauft, damit seine Tochter mit Renoir zum Malen in den Wald von Marly ziehen kann.

Caillebotte trifft er in dem kleinen Dorf Gennevilliers, in Auvers-sur-Oise sieht er Doktor Gachet und Gœneutte wieder, auch Murer, den er nicht nach Algerien begleitet, weil er bei der Überfahrt um seinen Sohn fürchtet. Die Familie Eugène Manet empfängt ihn häufig in Mézy. 1891 stellt er den Freunden Pierre und Aline vor, die er im Jahr zuvor geheiratet hat – Trauzeugen waren Franc-Lamy, Lhote, Lestringuez und Zandomeneghi. Ihre Rundungen verwundern Berthe Morisot, die sie sich, sie »weiß nicht wieso, ganz ähnlich wie die Malerei ihres Mannes vorgestellt« hatte. Für Renoir wie für die Morisot posieren dieselben Modelle, professionelle oder solche aus dem Familienkreis (Julie Manet und ihre Cousinen). In den Werken der beiden machen sich Analogien bemerkbar; dabei handelt es sich jedoch, wie Jean-Dominique Rey betont, weniger um eine Beeinflussung als vielmehr um ein Zusammenwirken, ein gemeinsames Klima zu der Zeit, da die große Künstlerin von der Krankheit und schließlich dem Tod ihres Mannes getroffen wird. Den sommerlichen Badeferien, die Frau und Sohn begeistern, Renoir selbst aber in Trübsinn stürzen, dienen normannische oder bretonische Ortschaften als Rahmen: Puys, Berneval – wo sie eine Villa mieten, in der Oscar Wilde nach seinem Gefängnisaufenthalt in Reading gewohnt hatte –, Wargemont, Bénerville – bei Renoirs neuem Kunstfreund Paul Gallimard, dem Besitzer des Théâtre des Variétés –, Noirmoutier, Tréboul, Pont-Aven (1892/93) – wo noch die Großtaten Gauguins widerhallen, dessen Ausstellung von 1893 Renoir überhaupt nicht schätzt.

Im Winter und im Frühjahr fühlt Renoir sich immer mehr zum Süden hingezogen. Nach einem stürmischen Aufenthalt bei Cézanne im Jas de Bouffan macht er sich nach Martigues, »dem Venedig und Konstantinopel Ziems und der Skandinavier«, auf; ein Jahr später mietet er von Cézannes Schwager ein Haus in Montbriand. Als er sich 1891 mit Wyzewa in Tamaris-sur-Mer aufhält, schreibt er an Bérard: »Ich bin nach Aix zurückgekehrt, und diese Gegend, die ich schon so schön fand, hat mich noch mehr betört. Diese Dürre, und der Olivenbaum, je nachdem trist bei grauem Wetter, klangvoll in der Sonne, silbrig im Wind ...« Im Jahr darauf nimmt er die Baudots nach Carry-le-Rouet mit. 1893 ist er in Beaulieu,

1894 in Saint-Chamas, das er Berthe Morisot zeigen möchte, denn »das ist das schönste Land der Welt. Man hat Italien, Griechenland und die Batignolles auf einem Fleck, und das Meer dazu«.

Bisweilen begleiten ihn jüngere Maler, denn Mangel an fachkundigen Gesprächspartnern ist ihm schrecklich. Cagnes gefällt ihm bereits seit 1898, aber erst 1903, nachdem er wiederholt Grasse und Magagnosc (1899), Le Trayas (1901) und Le Cannet (1902) ausprobiert hat, beschließt er, sich in diesem Marktflecken niederzulassen.

Ein paar Reisen ins Ausland stecken diese Zeitspanne ab: 1892 fährt er nach Spanien, von dessen ödem Charakter er schockiert ist, um sich mit Gallimard die Werke Velázquez' anzuschauen, 1896 nach Deutschland, um mit Martial Caillebotte in Bayreuth Wagners *Ring* mitzuerleben und die Museen von Dresden zu besuchen, 1898 nach Belgien und Holland, um mit Bérard, Faivre und Georges Durand-Ruel die Amsterdamer Rembrandt-Ausstellung zu besichtigen. Danach lösen Kurorte die Kunststätten ab.

Brüche und Trauerfälle trüben diese Jahre. Der zutiefst depressive Sisley neidet Renoir den Erfolg und wird ihn bis zu seinem Tod (1899) nicht mehr sehen. Murer, der sich mit seinem Haus in Rouen – 1896 stellte er hier dreißig Arbeiten von Renoir aus – ruiniert hat, überwirft sich mit seiner Schwester, für die alle Maler Partei ergreifen, und verkauft seine Sammlung komplett an den Doktor Viau.

1894 sterben Doktor de Bellio, Chabrier und Caillebotte, der seine Sammlung dem Staat vermacht und Renoir als Testamentsvollstrecker einsetzt. Darum gebeten, ein Bild seiner Wahl zu behalten, hätte dieser gern *Le Moulin de la Galette* zurückbekommen, was er jedoch nicht erreicht. Daher behält er einen Degas, dessen Verkauf dann zu einem anhaltenden Zerwürfnis mit dem Maler führt, der sich stets erzürnt, wenn jemand sich von seinen Werken trennt. Mit den Schwierigkeiten, die bei der Annahme des Caillebotteschen Vermächtnisses entstehen, haben Renoir und der Bruder des Verstorbenen, Martial, der dessen zwei Kinder vertritt, noch lange zu kämpfen.

Der Tod Berthe Morisots überrascht Renoir beim Malen mit Cézanne im Jas de Bouffan. Gemeinsam mit Mallarmé ist er beauftragt, sich um ihre Tochter Julie Manet und ihre Cousinen Paule und Jeannie Gobillard, die spätere Frau von Paul Valéry, zu kümmern. Er nimmt sie mit in die Bretagne, nach Essoyes und Puys, führt sie ins Konzert und ins Theater aus, überwacht ihre Arbeiten in der Freiluftmalerei und knüpft unauflösliche Freundesbande zwischen ihnen, seinen Kindern und denen seiner Freunde. In Julies Tagebuch findet sich ein »charmanter, liebenswerter, herzlicher« Renoir festgehalten. Er tanzt mit seinen Schützlingen Walzer, verlost mit Degas ein Aquarell von Cézanne, und vor den *Frauen in Algier* von Delacroix ruft er aus: »Wenn man das gemacht hat, kann man ruhig schlafen.«

Seine Theorien beklagen den Niedergang durch Geschwindigkeit und Mechanisierung – »der Arbeiter kann nicht mehr denken, nicht mehr aufbegehren ...« – und den Kolonialismus: »Um unsere Erzeugnisse an den Mann zu bringen, hat man die Sklaverei abgeschafft, aber gerade das ist mehr als Sklaverei.«

Zum großen Schmerz der Freunde verlassen auch Daudet, 1897, und Mallarmé, 1898, diese Welt. Eine Aufnahme, die Renoir bei den Natansons in Villeneuve-sur-Yonne nach der Beisetzung des Dichters zeigt, spiegelt die Trauer auf seinem von der Krankheit gezeichneten Gesicht. Als Jane Henriot, die wundervolle Sylvie in den *Romanesques,* deren Mutter Aline herzlich aufgenommen hatte, 1900 beim Brand der Comédie Française erst zwanzigjährig ums Leben kommt, scheint sich auf dem Theater von Renoirs Jugend der Vorhang zu senken.

In Paris haben die Renoirs 1889 die Rue Rochechouart gegen die Allée du Château des Brouillards hoch oben auf dem Montmartre getauscht. Dort wird 1894 der spätere Filmregisseur Jean Renoir geboren, und dorthin kommt als sein Kindermädchen die junge Cousine Gabrielle, die in der Kunst Renoirs einen wichtigen Platz einnehmen wird. Ein bohemehaftes Bürgertum treibt sein Wesen in den Pavillons und Gärten dieser grünen Insel, die in Obstgärten, einer Kuhweide und einem wildwachsenden Dickicht ausläuft. Dort haben sich schon ein paar Freunde Renoirs angesiedelt, Paul Alexis, Isambard und der Provenzale Clovis Hugues, Anarchist und Abgeordneter von Montmartre.

Günstigere Wohnsitze in der Rue La Rochefoucault (1896) und der Rue Caulaincourt (1901) lösen das Château des Brouillards, das Nebelschloß, wo Renoir des öfteren seine jungen Nachbarinnen als Modelle genommen hatte, ab. Vielleicht hat eine der vier Töchter von Clovis Hugues für die Illustration des Epos *Mireio* von Frédéric Mistral posiert. Die Arbeit hat Gallimard in Auftrag gegeben, der Renoirs Werke zusammenträgt und für den dieser zwei Porträts ausführt, eines von seiner Frau und eines von seiner Geliebten, der schönen Amélie Laurent, genannt Diéterlé, Schauspielerin und Sängerin in den »Variétés« und den »Folies-Bergère«. Gallimard ist der Kommissar der Gemäldeschau auf der Weltausstellung von 1900, auf der zum großen Verdruß Jean Léon Gérômes der Impressionismus seinen Triumph feiert.

Bei dieser Gelegenheit erhält Renoir das Kreuz der Ehrenlegion; 1890 war er schon einmal vorgeschlagen worden, hatte jedoch abgelehnt, vielleicht in Gedanken an Gleyre, der diese Auszeichnung nie hatte erbitten wollen. Bei Monet entschuldigt er sich für die Annahme in einem Brief, auf den er zwei Tage später zurückkommt: »Ich frage mich, was es Dir schon ausmachen kann, ob ich dekoriert bin oder nicht. Du hast halt eine wunderbare Lebensregel, mir ist es nie gelungen, an einem Tag zu wissen, was ich am nächsten mache. Du mußt mich gut kennen, besser als ich, denn ich kenne Dich sehr wahrscheinlich besser als Du. Sprechen wir nicht mehr davon, und es lebe die Liebe.«

Neue Händler interessieren sich für Renoir, die Bernheims sowie Ambroise Vollard, dem er Cézanne entdeckt. 1901 erklärt der Meister von Aix in einem Interview: »Ich verachte sämtliche lebenden Maler außer Monet und Renoir.«

Während dieser Jahre, in denen sein Ansehen unaufhörlich wächst, zentriert sich sein Werk um einige Lieblingsthemen, stets an die Jugend geknüpft. Sein Publikum verlangt ständig nach Badenden; über deren Schöpfer schreibt Mallarmé in einem seiner Gelegenheitsgedichte *Loisirs de la Poste*:

> *»Von der Avenue de Clichy*
> *nicht fern, da malt, Villa des Arts,*
> *vor enthüllter Schulterpartie*
> *beileib nicht schwarz Monsieur Renoir.«*

Die überaus geschmeidige Ausführung, das sanft perlmutterne Fleisch, das fließende Haar vermitteln einen Eindruck von hingebungsvoller, jedoch eher traditioneller Grazie. Zahlreiche Studien sind mit diesem Sujet verbunden, darunter stellt *Die Badende* von 1892 (New York, Metropolitan Museum of Art) ein prächtiges Beispiel dar. Mit der *Badenden im Wald* (1897, Merion, Barnes Foundation) nimmt Renoir seinen Stoff von 1896 in einem dionysischeren Stil wieder auf; den verschiedenen, neben ihren verstreuten Kleidern sitzenden Badenden verleiht er rubenssche Fülle. Diesem Erotismus entgegengesetzt ist die Frische der Sujets, mit denen er der Jugend huldigt. Renoir stellt gern zwei heranwachsende Mädchen bei einer gemeinsamen Beschäftigung – Lektüre, Klavierspiel, Ernte oder Blumenbinden – dar. Die rundlichen Gesichter sind von jenem venusischen Typ, zu dem auch Aline und seine Kinder gehören und der fast zu einer Signatur seines Werkes wird. Es gilt nun nicht mehr, die Lust des Vergänglichen zu rühmen, sondern die Stille des Dauerhaften, die Ruhe eines zwanglosen Lebens und seiner geselligen Künste. Rotgekleidet erscheinen diese Mädchen in den Gemälden *Die beiden Schwestern* (Privatbesitz) und *Die Klavierstunde* (Omaha, Joslyn Art Museum), aber im allgemeinen trägt gemäß den Konventionen der Epoche die Dunkelhaarige Rosa, die Blonde Blau, wobei die herabhängenden Enden der Gürtel mit den langen fliehenden Haarsträhnen korrespondieren.

Nach der Ausstellung von 1892 hat Renoir durch Roujon, Mallarmés Freund und Direktor der Beaux-Arts, den Auftrag für die *Mädchen am Klavier* (Musée d'Orsay) erhalten. Es gibt mehrere Fassungen: Eine davon stellt Yvonne und Marthe Lerolle dar, die Töchter des mit Rouart und Degas befreundeten Malers. Kleine Mädchen, die vor dem Gewoge der Auen oder des Meeres im Gras sitzen, bald im Viertelprofil, bald mit dem Rücken zum Betrachter,

machen die bezauberndsten Erscheinungen dieser Periode aus. Renoirs Freude am Malen der Kindheit wird angesichts der eigenen Kinder geradezu schwärmerisch. 1901 kommt Claude, sein dritter Sohn, zur Welt. Aline, von deren Schlagfertigkeit und Fröhlichkeit alle Freunde, denen sie sich als unermüdliche Gastgeberin erweist, entzückt sind, schafft um sich eine feminine, familiäre Atmosphäre. Bezeichnend für diese Heiterkeit ist das *Eßzimmer in Berneval* (1898, Privatbesitz): Pierre geht seine Lektionen durch, Jean scharwenzelt um das Zimmermädchen herum, Fensterscheiben und Gedeck schimmern sanft.

In den so treulichen Porträts der drei kleinen Renoirs, denen Gabrielle während der Sitzungen Andersens Märchen vorliest, geben die Bräuche der Zeit – die Jungen wie Mädchen zu kleiden und ihre Locken erst mit sieben zu stutzen – nützliche Anhaltspunkte für die Datierung: *Pierre Renoir* (1890, Privatbesitz), *Gabrielle und Jean* (1895, Paris, Orangerie des Tuileries), *Jean beim Zeichnen* (mit kurzem Haar, 1901, Richmond Virginia Museum), *Jean Renoir* (mit Schleife im Haar, 1901, Privatbesitz), *Säugling mit Löffel* (um 1902, Privatbesitz). Unermüdlich betrachtet Renoir seine Kinder bei ihren Lebensäußerungen, und die Porträts von Claude, genannt Coco, erhellen ein Dasein, das die Krankheit allmählich in ein Martyrium verwandelt.

Der rote Schein der Abendsonne

An diese letzten Jahre heftet sich der Ruhm, doch Renoirs Gesundheit läßt immer mehr nach. Bei der Rückkehr von einer Kur in Bourbonne-les-Bains im Jahre 1904 meint er zu Julie Rouart: »Da ist nichts zu machen, nächstes Jahr wird es mir schlechtergehen und so weiter.«

Die Arbeit, unaufhörliche Arbeit unter immer mühseligeren körperlichen Voraussetzungen, ist der Lichtblick in seinem Leben, das er in Paris – 1911 zieht er an den Boulevard Rochechouart, in die Nähe des früheren Cirque Fernando –, Essoyes und vor allem in Cagnes verbringt. Nachdem er zunächst im Posthaus gewohnt hat, kauft er »wegen der Schönheit der Olivenbäume« die Besitzung »Les Collettes« und läßt dort ein Haus bauen; 1908 ist es fertig. Von 1912 an hat er auch in Nizza eine Wohnung mit einem besser zugänglichen Atelier – nach der Rückkehr von einem Bayernaufenthalt mit Bérards beiden Neffen Thurneyssen (1911) tragen ihn seine Beine nicht mehr. Der brandneue Herbstsalon von 1904, an dem Espagnat, Valtat und André teilnehmen, enthält einen ganzen Saal Renoirs. Denen, die sich über seine Teilnahme wundern, da er auf solchen Veranstaltungen eigentlich nicht mehr ausstellt, hält Renoir entgegen, daß er mit seiner Malerei nicht aus Prinzip hinterm Berg halte: »In diesem Fall hat man mich sehr verbindlich gefragt, ob ich ausstellen wolle.«

Im Troß des Erfolges tauchen auch die ersten Fälschungen auf. 1904 werden aus seinem Atelier Skizzen gestohlen, fertiggemalt, signiert und schließlich verkauft, eine Affäre, die Renoir sehr verbittert. Nachdem er eine *Lesende* überprüft hatte und befand, sie sei »falsch einschließlich der Signatur«, eine »arg aufgemöbelte Frau in Vorderansicht, die Unterschrift gefälscht, aber ganz jämmerlich«, beauftragt er Durand-Ruel, der diese Schiebung aufgedeckt hatte, der Sache nach Möglichkeit Einhalt zu gebieten.

Durand-Ruel setzt sich im Ausland weiter für ihn ein: Die große Impressionistenausstellung der Londoner Grafton Galleries 1905 zeigt allein 59 Renoirs, und in New York sind 1908 41 Arbeiten vertreten. 1901 widmet ihm die Biennale in Venedig eine Retrospektive, 1912 stellen die Galerien Thannhauser in München und Cassirer in Berlin sowie das Französische Institut in Sankt Petersburg sein Werk vor, 1911 hat Julius Meier-Graefe die erste Renoir-Monographie verfaßt. 1913 hängen fünf seiner Bilder bei der aufsehenerregenden New Yorker Armory Show neben den Werken der Avantgarde. Auch während des Ersten Weltkriegs reißen die Veranstaltungen nicht ab. In Zürich wird Renoir 1917 mit 60 Werken vorgestellt. Neben seiner Tätigkeit als Ehrenvorsitzender des Herbstsalons, seiner Ernennung zum Offizier der Ehrenlegion im Jahre 1911 und zum Kommandeur im Jahre 1919 nimmt er auch, nach einigem Bedenken, »eine weitere Ehrung« an, indem er 1908 Mitglied der belgischen Société royale wird. In seinem an Rubens anknüpfenden *Urteil des Paris* (1908) ist vielleicht eine Ehrung Flanderns zu sehen.

Ohne Unterlaß forscht er nach dem »Geheimnis der Meister«, die – Rubens, Tizian, Veronese – im Alter seine Leitsterne sind. Für die von Henri Mottez vorbereitete Neuausgabe der von Mottez' Vater besorgten Übersetzung des Cennino Cennini sagt Renoir 1909 ein Vorwort zu.

Mit seiner Ansiedlung in Cagnes taucht er nun in jene mediterrane Geistessphäre ein, in der die Bilder aus der klassischen Mythologie gedeihen. Dieses Stück Erde erscheint ihm als »das Paradies der Götter«, und seine Malerei huldigt deren fleischlicher Hülle: Als er in Bayern den jungen Alexander Thurneyssen malt, stellt er ihn, fast wie einen Ganymed, in Gestalt eines Hirten dar.

Als Modell für die Gestalt des Paris löst Gabrielle den Schauspieler Daltour ab; sie ist Renoirs fruchtbarstes Modell, neben Claude, dessen kindliche Anmut den Vater bezaubert; die Darstellungen als spielender, malender, schreibender, als Pierrot oder Clown verkleideter Coco bilden eine ganze Galerie der Kindheitsetappen. Später läßt Renoir in Les Collettes einen Brennofen bauen, um seinem Sohn jene Keramiktechniken beizubringen, mit denen er die eigenen Anfänge bestritten hatte; auch findet er Spaß daran, selbst noch einmal Teller und Gefäße zu dekorieren.

Kleine Landschaften, buschig, fedrig, in Regenbogenfarben schillernd, zeigen Les Collettes (das Anwesen wurde 1960 von der Stadt Cagnes gekauft, um es als Renoir-Museum einzurichten) oder die ländliche Umgebung, etwa *Die Waschfrauen* (1909), gemalt auf dem Weg zur Mühle von Begude, im Hintergrund das Anwesen Les Tourrettes.

Im Atelier nährt der Maler seine Schaulust an Stilleben von Früchten (*Erdbeeren,* Paris, Schenkung Walter Guillaume) und Blumen. Es sind dies zugleich Stilübungen, denn an den Rosen studiert er, wie er sagt, jene Nuancen, die er hernach bei der Darstellung des weiblichen Fleisches verwendet.

Viele dieser Werke gehören später dem Industriellen Maurice Gangnat, der sich in den Süden zurückgezogen hat und zu einem der treusten Besucher auf Les Collettes wird. Renoir hat ihn über Gallimard kennengelernt und schätzt sein Urteil über Malerei. Doch empfängt er noch viele andere Freunde, immer wieder die geliebten Andrés – in Lyon und im Gard macht er selbst bei ihnen Station –, die Bessons – *Adèle Besson* (Musée de Grenoble) ist eines seiner letzten Porträts –, die Gefährten Faivre, Espagnat und Valtat vom Herbstsalon, die mit Paul Cézanne und den Rivières auch zu den Stammgästen in Essoyes gehören, und schließlich die in Cagnes ansässigen Maler Deconchy, von 1912 bis 1919 Bürgermeister des Städtchens, Vidal und Roussel-Masure. Letzterer führt über seine Besuche ein Tagebuch, in das er am 18. August 1915 eine Äußerung Renoirs einträgt: »Um gut zu malen, muß man zügig malen, das ist das einzige Mittel, um dem Modell Leben zu verleihen.«

Maurice Denis und auch die Monets machen auf der Durchreise nach Italien bei Renoir halt. Amerikaner, Skandinavier, Japaner möchten bei ihm kaufen oder in die Lehre gehen, wie der Japaner Umehara, einer seiner eifrigen Schüler.

Ohne Unterlaß verlangt man von ihm Porträts. Mehrere davon stellen die hinreißende Misia Godebska dar, die zunächst mit Thadée Natanson, dem Herausgeber der *Revue Blanche,* und dann mit Alfred Edwards, dem Magnaten des *Matin,* verheiratet war. Als französische Schirmherrin von Diaghilews Russischem Ballett führt sie Renoir, der gerade einen schlimmen Rheumaanfall durchmacht, in die Premiere. Edwards trägt ihn auf den Armen in die Loge, wo Jacques-Emile Blanche ihn plötzlich erkennt – in jenem »Alten mit Käppi, um den sich die Frauen in Abendroben drängen wie um einen Herrscher«.

Der einzige Bereich seines Werkes, in den Renoir negative Gefühle eindringen läßt, sind die Selbstporträts. Dort sind die Furcht (1875, Williamstown, Mass., Sterling and Francine Clark Art Institute), die Schwermut (1876, Cambridge, Mass., Fogg Art Museum) und schließlich das Leiden zu sehen, das die Züge seines ursprünglich vollen Gesichts aushöhlt und in die Länge zieht (1899, Williamstown, Mass., Sterling und Francine Clark Art Institute; 1910, Privatbesitz). Seine männlichen Porträts spiegeln Ausgeglichenheit – *Jean Renoir als Jäger –*,

Güte und Gelassenheit – *Paul Durand-Ruel* (1910, Privatbesitz), *Maurice Gangnat* (1915, Privatbesitz). Für Gangnats Eßzimmer hat er 1909 die beiden großen Hochformate *Tänzerin mit Tamburin* und *Tänzerin mit Kastagnetten* (London, National Gallery) geschaffen. Eine Staffelei, auf der die Leinwand verschoben werden kann, erleichtert ihm die Arbeit, die ihn erschöpft, wenngleich er erklärt: »Jetzt, wo ich weder Arme noch Beine mehr habe, träume ich von der Hochzeit zu Kana.« Um einen Renoir zu haben, suchen die Händler ihn zur Anfertigung von Porträts zu bewegen. Die Brüder Gaston Bernheim de Villers und Josse Bernheim Dauberville, deren Verlobte, die Demoiselles Adler, er 1901 porträtiert hatte, schicken 1914 Rodin nach Cagnes, damit der Maler die Gesichtszüge des Bildhauers verewige.

Paul Cassirer gibt ein Bildnis seiner Frau, der Schauspielerin Tilla Durieux (New York, Metropolitan Museum of Art), in Auftrag, Vollard ein Porträt von Madame de Galéa, der er leidenschaftliche Verehrung entgegenbringt. Eine schelmische Absicht verbirgt sich hinter einem Bild, das Vollard darstellt, wie er über einem auf dem Tisch liegenden Fayence-Weihwassergefäß eine Statuette von Maillol liebkosend in den Händen hält. Der katalanische Bildhauer kam 1906 nach Essoyes, um an einer Renoir-Büste für Vollard zu arbeiten. Der Händler sorgt sich um den schlechten Gesundheitszustand des Malers und, wie Barbara Ehrlich-White anmerkt, die mühsame Beschaffung von Werken, die er Durand-Ruel fest versprochen hatte, und verfällt darauf, Renoir Versuche in der Bildhauerei anzutragen: »Alles im Leben ist Zufall, und als Vollard mir mit Bildhauerei kam, habe ich ihn erst einmal zum Teufel gejagt«, schreibt Renoir an Albert André und dessen Frau, »aber nach einer Bedenkzeit hab' ich's mit mir machen lassen, um auf ein paar Monate angenehme Gesellschaft zu haben.« Er, der mit Vorliebe sagte: »Seit Chartres haben wir nur einen einzigen Bildhauer, und das ist Degas«, macht sich mit Feuereifer an diese Arbeit; dabei geht ihm Richard Guino zur Hand, ein Gehilfe Maillols, den Vollard ihm geschickt hat. Er beginnt mit einem *Urteil des Paris* als Hochrelief, arbeitet an einer 1,85 m großen *Venus Victrix* (London, Tate Gallery) und schafft ein *Mutterbild* mit der Gestalt Alines, ähnlich seinem Gemälde von 1885. Aus Furcht vor der Vervielfältigung seiner Plastiken, für die Vollard alle Reproduktionsrechte innehat, kündigt er Guino die Zusammenarbeit auf. Dessen Nachfolger wird, aus Essoyes nach Cagnes anreisend, Louis Morel.

Die Besucher sind entsetzt über das Fortschreiten seines körperlichen Verfalls. »Dieser arme Renoir tat mir wirklich leid«, schreibt Mary Cassatt 1912. Angesichts dieses menschlichen Wracks, verkrümmt und verkrüppelt, die Finger an die Handballen geheftet, entdeckt Gimpel verblüfft, daß Renoirs geistige Fähigkeiten nach wie vor intakt sind und daß er arbeiten kann. Durand-Ruel wundert sich: »Was für eine Marter, und trotzdem noch immer dieses sonnige Gemüt, dieses Glück, wenn er malen kann.«

Die Arbeit ist eine Droge für seine körperlichen Schmerzen und die Angstzustände, die der Erste Weltkrieg bei ihm auslöst. Pierre dient bei der Artille-rie, Jean, der später noch einmal als Flieger an die Front geht, bei einer Infanterieeinheit, und beide sind schwer verwundet worden. Nach der Heimkehr von einer erschöpfenden Reise an die Front stirbt Aline in der Klinik von Gérardmer, wo sie ihren zweiten Sohn besucht hat. Jean Renoir, dessen Filme *Nana* und *Le Déjeuner dans l'herbe* die Welt der Impressionisten so vortrefflich wiedergeben, erinnert in seinen Memoiren an die Modelle, die seiner Familie auf ihren wechselnden Wegen gefolgt sind: Marie Dupuis, genannt »La Boulangère« (die Bäckerin), Georgette Pigeot, der die Hüte so gut zu Gesicht stehen, Adrienne, und vor allem Gabrielle, die 1914 den amerikanischen Maler Conrad Slade heiratet und die der Cineast nach dem Zweiten Weltkrieg in Hollywood wiedersieht. Sie steht Modell mit Coco, den sie ermuntert, brav zu bleiben, und wird dann Thema zahlreicher Bilder, *Gabrielle beim Nähen, Gabrielle mit Spiegel, Gabrielle mit Rose,* sowie mancher Badender, seit sie in Magagnosc bei einem Akt für »La Boulangère« eingesprungen war. Renoir wirft ihr vor, daß sie im Hause nur solche Besucher dulde, die ihr gefielen, und Madame Renoir, durch ihre Zuckerkrankheit reizbar geworden, beschwert sich, daß sie Geschenke annehme, und verlangt ihre Verabschiedung. *Gabrielle mit Schmuckkästchen* erscheint wie eine schalkhafte Anspielung auf diese Familienzwistigkeiten. Auf diesem Gemälde erglänzen der Teint und die orientalischen Seidenstoffe von Rosa bis Purpur. Die von Boucher so geschätzten flammenden Rottöne, deren zunehmende Bedeutung Mary Cassatt 1915 beobachtet, bestimmen die Palette von Cagnes. Gegenüber Gimpel erläutert der Maler später, daß er die Rottöne zuweilen bis zum Ziegelrot steigere, weil sie mit der Zeit nachließen. Auf diese Weise behalten seine Bilder, statt mit den Jahren zu verblassen, ihren rosigen Glanz.

Seit Cassirer 1912 bei Rouarts Auktion für die *Reiterin im Bois de Boulogne* 95 000 Franc bezahlt hat, wächst Renoirs Ruhm unaufhörlich. Man streitet sich um die geringsten Skizzen, die Gabrielle vor dem Feuer gerettet hat, als Renoir sie verbrennen wollte. »Erinnere Dich, als ich meine *Badende* von Capri mitbrachte, wie sie da befürchtet haben, daß ich keine Ninis mehr mache«, teilt er Jacques-Emile Blanche mit, als er ihn bei seiner Flucht im August 1914 in Moulins wiedersieht. Er arbeitet noch immer an Badenden; die von 1916, aus der Sammlung Barnes, malt er im Freien. Ihre Hinterteile scheinen ihm dann gelungen, wenn ihn die Lust ankommt, ihnen einen Klaps zu verpassen. Das sagt er, berichtet André Salmon, »ganz lauter und aufrichtig vor Modigliani, der ihm entgegnete: Ich, mein Herr, mag keine Hinterteile«. Malen ist die einzige Lust, die diesem gemarterten Körper geblieben ist; die Schönheit des Fleisches ist allgegenwärtig, aber seit langem schon sind die sorglose Heiterkeit und unvergleichliche Grazie der Schwere jener majestätischen Akte gewichen, deren Opulenz sich zwischen Tizian und Rubens bewegt. Wiewohl seine Tage gezählt sind, träumt er noch von monumentalen Badenden, auf einem großen Gemälde, das seine Söhne später dem Staat vermachen. In diesem Werk wird die Landschaft, sagt er, zu einem Requisit, das er in die Gestalten einzuschmelzen sucht. Der Horror vacui, eines der Hauptkennzeichen seines Stils, scheint offenkundiger noch in seinen letzten Werken wie dem *Konzert* (Toronto, Art Gallery of Ontario), in dem die Rosatöne der Wandbehänge und des Blumenstraußes mit dem schimmernden Inkarnat der dunkelhaarigen Madeleine Bruno und der rothaarigen Dédée korrespondieren. Letztere verheiratet sich später mit Jean und wird in seinem Film unter dem Namen Catherine Hessling die Nana

spielen. Sie erscheint auf den meisten Bildern im Atelier, das beim Tod des Malers für *L'Illustration* fotografiert wurde: »Ich habe meine alten Augen an ihrem jungen Fleisch verschlissen«, sagte Renoir.

Renoir stirbt 1919, und gleichzeitig erzielt *Der Pont-Neuf* (1872) bei der Auflösung der Sammlung Hazard 90 000 Franc. Die Nachwelt hat diesen Ruhm, wie ihn Künstler zu Lebzeiten selten erreichen, nicht Lügen gestraft. Generation auf Generation entdeckt in Renoirs Werken jenen Charme, dem noch der kaustische Jules Renard verfiel: »Renoir, das ist vielleicht der Stärkste …, der hat keine Angst vorm Malen: Er pflanzt einen ganzen Garten auf einen Strohhut, zuerst ist man geblendet, dann schaut man hin, und die Münder seiner kleinen Mädchen beginnen zu lächeln.«

»Wenn ich hell gemalt habe, so weil man hell malen mußte. Das ging nicht aus einer Theorie hervor, sondern aus einem Bedürfnis, das bei jedem unbewußt in der Luft lag, nicht bloß bei mir. Ich war kein Revolutionär, als ich hell malte, ich war der schwimmende Korken.«

Zwischen Chatou und Bougival gelegen, war La Grenouillère zugleich Gartenlokal und Badeanstalt. Seinen Namen verdankt es den »Fröschen«, jenen umgänglichen Mädchen, die mit dem Zug aus Paris kommen, um den Sonntag am Strand zu verbrin-

gen. »La Grenouillère«, schreibt *L'Evénement illustré,* »ist das Trouville des Seineufers, das Stelldichein dieser lärmenden und koketten Pariser Auswandererschar, die den Sommer über ihre Zelte in Croissy, Chatou und Bougival aufschlagen kommt.« Inmitten dieser Leute finden sich auch Monet und Renoir. Dieser sagt, er sei auf den Ort durch Fürst Bibesco gekommen, einen seiner wenigen Kunden (er hatte den Künstler mit der Dekoration seines Privathauses betraut). Zunächst von der Aristokratie besucht, sollte La Grenouillère einige Jahre später zu einem Ort werden, der »vor Dummheit stinkt und wo es nach Pöbel und schmieriger Galanterie riecht«, wie Maupassant festhielt. Im September 1869 schreibt Monet an Bazille: »Ich hege einen Traum (für den nächsten Salon), ein Bild mit dem Bad von La Grenouillère, für das ich ein paar schlechte Skizzen gemacht habe, aber es ist ein Traum. Renoir will dieses Bild auch malen.«

Als der Traum dieser Künstler Wirklichkeit wurde, gebar er den Impressionismus mit seinen kleinen Pinselstrichen, die das Schillern der Farben im Licht wiedergeben. Renoir und Monet sind sich bewußt, eine Malkunst erfunden zu haben, die von den Offiziellen nicht verstanden werden kann: Keiner von beiden hat es gewagt, sein Gemälde beim Salon von 1870 einzureichen.

1., 2., 3. Monet und Renoir malen 1869 gemeinsam den Badeort La Grenouillère.

4., 5., 6. Spiel des Sonnenlichts, Schwingungen, Flimmern, Widerschein des Blattwerks und der Kähne auf dem Wasser, Schillern der buntgescheckten Kleider – in diesen »aus dem Leben gegriffenen« Szenen ist bereits der ganze Impressionismus zu spüren. Und tatsächlich ist er hier auch entstanden. Auf der Suche nach einer optischen Farbmischung zerlegt Monet (5 und 6) seine Farbtupfer; Renoir verschmilzt die Farbtöne durch kleine, dicke Tupfer, die er auf der Leinwand ineinandersetzt. Monet billigt den Personen weniger Platz und dem Fluß größere Bedeutung zu. Renoir setzt einen größeren Farbenreichtum ein und spielt virtuoser mit dem Licht. Inständig um die Erfindung einer revolutionären Malerei bemüht, schaffen Monet und Renoir mehrere Fassungen von *La Grenouillère.*

4. *La Grenouillère,* 1869. Öl auf Leinwand, 65 x 95 cm, Sammlung Oskar Reinhart, Winterthur

5. Claude Monet, *La Grenouillère,* 1869. Öl auf Leinwand, 75 x 100 cm, Sammlung H. O. Havemeyer, Metropolitan Museum of Art, New York

6. Claude Monet, *Das Bad La Grenouillère,* 1869. Öl auf Leinwand, 73 x 92 cm, National Gallery, London

Folgende Seiten:
La Grenouillère, 1869. Öl auf Leinwand, 66 x 86 cm, Nationalmuseum, Stockholm

»Es war ein fortwährendes Fest, und was für ein Durcheinander von Leuten!«

Das Jahr 1870 läßt sich gut an: Renoir wird zum Salon zugelassen. Immer wieder greift er das Thema des Liebesabenteuers auf, wie im *Spaziergang*, einem Hymnus an die Liebe, dessen Protagonisten eine elegante Frau und ein eher tölpischer und höchst beeilter junger Mann sind. Mit dieser Vorliebe für Großfiguren entwickelt sich der impressionistische Stil, während Renoir das Vergnügen des Malers am Schildern müßiger und zwangloser Zeiten in lebhaften und reichen Farben durchscheinen läßt.

»Mit dem Krieg verdarben meine Geschäfte, und nun, während der Commune, irrte ich ohne einen Sou von Paris nach Versailles, von Versailles nach Paris.«

Doch auch die schönsten Zeiten gehen zu Ende, und nach Paris zurückgekehrt, führt Renoir seine Odyssee von Atelier zu Atelier fort. Während er bei seinem Freund, dem Musiker und Kunstliebhaber Edmond Maître, wohnt, wird er von der Kriegserklärung überrascht. Zum Kriegsdienst nach Libourne einberufen, verbringt er den Winter, ohne der

1. Neben dem Café Guerbois ist Bazilles Atelier in der Rue de la Condamine vor dem Deutsch-Französischen Krieg häufig Treffpunkt Monets, Renoirs und ihrer Freunde. Bazille hat auf diesem Bild Edmond Maître ans Klavier gesetzt. Zola (oder Sisley) beugt sich über das Treppengeländer. Renoir sitzt auf einem Tisch, Monet und Manet betrachten ein Gemälde, das Bazille ihnen vorhält.

geringsten Kampfhandlung ausgesetzt zu sein. Nach seiner Entlassung kehrt er nach Paris zurück, logiert aufs neue bei Maître und malt dessen Geliebte Rapha. Er trifft seine Freunde wieder, die sich, wie Courbet oder Verlaine, während der Commune engagieren. Anders Renoir: Für ihn ist »die einzige Politik die des Korkens«. Er hat Freunde in beiden Lagern, bekommt einen Passierschein, um Paris verlassen und seine Eltern in Louveciennes besuchen zu können. Kaum im Versailler Einflußbereich angelangt, zieht er einen weiteren Passierschein aus der Tasche, den ihm der bei der Versailler Regierung attachierte Fürst Bibesco beschafft hat. Im Juni 1871, nach der blutigen Niederlage der Commune, erfährt Renoir vom Tod seines Freundes Bazille in der Schlacht von Beaune-la-Rolande. Mit ihm stirbt auch etwas von Renoirs Jugend.

2. 1869 malt Fantin-Latour zu Ehren Manets *Das Atelier in Les Batignolles,* auf dem dessen Bewunderer sämtlich zu sehen sind. Renoir, stehend mit Mantel und kleinem Hut, findet sich dort mit den Stammgästen des Café Guerbois: Monet, Bazille, Zola, Otto Scholderer, Astruc und Edmond Maître.

3. Den *Spaziergang,* sicherlich eines der letzten Gemälde, an denen Renoir vor seiner Einberufung gearbeitet hat, führte er in einer ans 18. Jahrhundert erinnernden Grazie aus. Das Modell ist Rapha, die Geliebte Edmond Maîtres, bei dem er seit Bazilles Aufbruch nach Montpellier wohnt. Renoir wird Bazille nicht lebend wiedersehen.

1. Frédéric Bazille, *Das Atelier in der Rue de la Condamine,* 1870. Öl auf Leinwand, 98 x 128 cm, Musée d'Orsay, Paris, R.M.N.

2. Henri Fantin-Latour, *Das Atelier in Les Batignolles,* 1870. Öl auf Leinwand, 204 x 273 cm, Musée d'Orsay, Paris, R.M.N.

3. *Der Spaziergang,* 1870. Öl auf Leinwand, 81 x 65 cm, British Rail Pension Fund, London

Lise Tréhot steht 1869 für die *Quellnymphe* Modell: eine einfache und natürliche Frau, von Renoir mit einem Laubgewinde in der Hand dargestellt. Ein Jahr später wandelt sich Lise zur *Frau aus Algier* oder *Odaliske*. Doch der Exotismus ist für Renoir nur ein Vorwand, und seinen Harem ersinnt er in einem Zimmer in Les Batignolles. Die beiden Gemälde ermöglichen es ihm, zwei Malern Hommage zu erweisen, die oftmals als feindliche Brüder angesehen werden, für ihn aber beides Meister sind: Die *Frau aus Algier* lehnt sich an Ingres' Odaliskendarstellungen an, von denen Renoir auch den Untertitel des Werkes übernimmt. Mit der *Quellnymphe* zitiert er wörtlich eines der berühmtesten Werken von Ingres, *Die Quelle* (1856). Aber vielleicht mehr noch als auf den Maler der Odalisken bezieht Renoir sich auf Delacroix: »Ein Rennpferd«, schreibt er, »züchtet man in ein paar Generationen. Das Rezept, wie man Delacroix macht, ist weniger bekannt.« Und: »Der Louvre, das ist für mich Delacroix.« Diese Bewunderung teilen seine Impressionistenfreunde wie Monet und Bazille, die eine Zeitlang ein Atelier an der Place Furstenberg bewohnen, von wo aus sie Delacroix' Werkstatt sehen können. Der Einfluß des Meisters ist in jenen Jahren allgegenwärtig.

2. Die Dekors und Kostüme in Ingres' Harems sind Stichen aus den Reiseberichten des 18. Jahrhunderts entlehnt. In der *Odaliske mit Sklavin* von 1842 beschwört er jene Stätten, die mit der Orientmode den Abendländern zum Traumbild werden.

3. Von seiner Reise nach Marokko und Algerien im Jahre 1832 angeregt, malt Delacroix 1834 *Frauen aus Algier in ihrem Gemach.*

Das ist auch dem Kritiker Arsène Houssaye nicht entgangen, wenn er von der »Algerierin, die Delacroix signieren könnte«, spricht. Jedoch werden nicht alle exotischen Themen Renoirs diese Gnade bei den Rezensenten finden. Über die *Pariserinnen in algerischen Kostümen* (oder *Der Harem*) schreibt ein Kritiker spitz: »Sollten die Orientalinnen so gebaut sein, bin ich nicht bereit, Türke zu werden«, wobei er vergißt, daß es sich ja um Pariserinnen handelt, wie Lise Tréhot, die hier zum letztenmal in Renoirs Werk erscheint. Durch einen glücklichen Zufall findet Renoir damals einen neuen Mäzen, Hyacinthe-Eugène Meunier, genannt Murer. Konditor und zugleich Maler, Schriftsteller und Sammler, gibt er jeden Mittwoch Diners für die Künstler, an denen Renoir, Monet, Sisley, Pissarro, Cézanne, Guillaumin und Doktor Gachet teilnehmen. Er lädt auch Sympathisanten des Impressionismus zu sich, wie den berühmten Farbenhändler Père Tanguy vom Montmartre, den van Gogh so eindrucksvoll porträtiert hat. Auf diese Weise legt Murer eine prächtige Sammlung an; sie enthält nicht weniger als fünfzehn Renoirs.

2. Jean Dominique Ingres, *Odaliske mit Sklavin*, 1842. Öl auf Leinwand, 71 x 100 cm, Walters Art Gallery, Baltimore

3. Eugène Delacroix, *Frauen aus Algier in ihrem Gemach*, 1834. Öl auf Leinwand, 180 x 229 cm, Musée du Louvre, Paris, R.M.N.

4. *Quellnymphe*, 1869. Öl auf Leinwand, 66 x 124 cm, National Gallery, London

5. *Frau aus Algier* oder *Odaliske*, 1870. Öl auf Leinwand, 69 x 123 cm, Sammlung Chester Dale, National Gallery of Art, Washington

4. Lise posiert für diesen hellen Akt, die *Quellnymphe* von 1869, in der noch der Einfluß Courbets zu erkennen ist. Blendend gegen die meergrüne Umgebung abgesetzt, scheint die Figur förmlich über der Quelle zu schweben.

5. Wieder posiert Lise Tréhot für die *Odaliske,* die beim Salon von 1870 angenommen wird. In der Tradition der Modelle Ingres' und Delacroix' sind auch Renoirs Modelle bis auf seltene Ausnahmen eher vom Montmartre als aus Algerien.

»Schaut euch die großen Meister der vergangenen Epochen an.«

Fünf Jahre trennen den *Pont-Neuf* vom 1867 gemalten *Pont des Arts*. Diesmal sprudelt die Szene über vor Phantasie; auch macht sich zwischen den beiden Werken der Einfluß der Fotografie geltend: Man hat den Eindruck, die Handlung setze sich jenseits des Rahmens fort. Es sind die Personen, die in dieser Stadtlandschaft den Vorrang haben. Ein Mann plaudert mit zwei Frauen, ein Kind läuft über den Fahrdamm, ein fliegender Händler steht neben seinem kleinen Karren, während die Passanten seine Waren begutachten. Die Bedeutung der Personen wird von Renoirs Bruder bestätigt:

2. Ist auch Monets Einfluß auf Renoir nicht zu bestreiten, so läßt der Vergleich zwischen den Ansichten vom Pont-Neuf deutlich die Scheidelinie zwischen den beiden Persönlichkeiten erkennen: Bei Monet lastet mit bedecktem Himmel und diesiger Atmosphäre eine trübe Stimmung über der Brücke, das Pflaster glänzt, die Regenschirme kämpfen mit dem Wind. Bei Renoir ist der Pont-Neuf von warmem Licht überflutet, und sorglos promeniert man mit Strohhüten und Sonnenschirmen, eines stets blauen Himmels gewiß.

»Wir hatten unser Hauptquartier im Zwischengeschoß eines kleinen Cafés an der Ecke zum Quai du Louvre aufgeschlagen, das näher zur Seine lag als die Gebäude heute. Bei zwei Tassen Kaffee, jede zu zehn Centimes, konnten wir stundenlang dortbleiben. Auguste überblickte die Brücke, und nachdem er den Boden, die Brüstungen, die Gebäude im Hintergrund, die Place Dauphine und das Standbild Heinrichs IV. gemalt hatte, vergnügte er sich damit, die Umrisse der Passanten, Wagen und kleinen Gruppen zu skizzieren. Unterdessen schrieb ich, außer wenn mein Bruder mich bat, auf die Brücke zu laufen und die Passanten anzusprechen, damit sie einen Augenblick innehielten, wenn ich sie zum Beispiel nach der Uhrzeit fragte.« Monet malt zur gleichen Zeit dasselbe Sujet, wenn auch aus einem geringfügig anderen Blickwinkel und bei Regenwetter. Ein paar Jahre später malt auch Pissarro Ansichten vom Pont Neuf, aber vom anderen Ufer her betrachtet. Diese Vorliebe der Impressionisten für die Stadtlandschaft erinnert daran, wie sehr diese Maler, die Zola als Aktualisten bezeichnet, »ihre Zeit lieben ... Der eine hat unser Zeitalter mit der Muttermilch aufgesogen, der andere wuchs und wächst weiter in der Bewunderung dessen, was ihn umgibt. Er liebt die Horizonte unserer Städte, die grauen und weißen Flecken, die die Häuser auf dem hellen Himmel hinterlassen; er liebt die Leute auf den Straßen, die geschäftig im Überzieher vorübereilen ...« Aber es wird noch ein wenig Zeit brauchen, bis die Kunstliebhaber Zolas Enthusiasmus teilen: Bei der ersten Auktion impressionistischer Bilder im Jahre 1875 erzielt Renoirs *Pont-Neuf* nur 300 Franc.

3. 1875 malt Renoir ein von Zola hoch gelobtes *Porträt Claude Monet*. Pinsel und Palette in den Händen, einen kleinen Hut auf dem Kopf, mit starkem Bart und dichtem Haar, erscheint Monet, an zeitgenössischen Fotografien gemessen, mit sanfteren Zügen und milderem Blick.

4. Im *Pont-Neuf* von 1872 wird das Licht über den Dächern von Paris, der rege Verkehr der Menschen und Wagen durch lockere Tupfer wiedergegeben, die der allgemeinen Stimmung einen an Corots Lehren gemahnenden heiteren Ton verleihen. Renoir berichtet: »Pissarro malte eine Straße von Paris und setzte eine Beerdigung hinein; ich hätte eine Hochzeit genommen.«

2. Claude Monet, *Der Pont-Neuf,* 1872. Öl auf Leinwand

3. *Porträt Claude Monet,* 1875. Öl auf Leinwand, 84 x 60 cm, Musée d'Orsay, Paris, R.M.N.

4. *Der Pont-Neuf,* 1872. Öl auf Leinwand, 74 x 93 cm, Sammlung Alisa Mellon Bruce, National Gallery of Art, Washington

Nachdem die tragischen Ereignisse des Deutsch-Französischen Krieges und der Commune vorüber sind, finden die Maler zurück zu ihren Soireen im Café Guerbois und ihren endlosen Erörterungen über die Kunst. Zu diesem Zeitpunkt schwankt Renoir zwischen realistischen Gemälden, finanziell interessant und vielleicht ein Zugang zum Salon, und jener Avantgardekunst, die zu erfinden er, Monet und Sisley sich immer bewußter sind. In dieser Gruppe, die sich noch nicht »impressionistisch« nennt, rollt eine mächtige Welle heran: der Japonismus. Japan hat begonnen, dem Westen die Geheimnisse seiner besonderen Kunst, die der wunderbaren Holzschnitte, zu offenbaren. Als Wegbereiter auf diesem Gebiet und Sammler japanischer Kunstgegenstände schreibt Edmond de Goncourt über deren Enthusiasten: »Erst einmal waren das ein paar Sonderlinge wie mein Bruder und ich, dann kam Baudelaire, dann Burty, dann Villot ..., dann, in unserem Gefolge, die Bande der impressionistischen Maler.« Den letzteren nicht gerade zärtlich zugetan, handelt er sie in seinem *Journal* als »Skizzierer« ab, als »Maler von Flecken, die sie nicht selbst erfunden haben, Flecken, die sie Goya, Flecken, die sie den Japanern entwendet haben«.

»Ein Volk darf sich bei Strafe der Eselei nichts aneignen, was nicht aus seinem Geschlecht stammt.«
»Die japanischen Holzschnitte sind ungeheuer interessant – vorausgesetzt, sie bleiben in Japan.«

Auf diese Anschwärzung scheint Zola zu antworten, als er schreibt: »Es wäre weitaus interessanter, diese vereinfachte Malerei mit den japanischen Holzschnitten zu vergleichen, die ihr durch ihre fremdartige Eleganz und ihre herrlichen Flecke ähnlich sind.« Doch anders als Manet, Monet, Caillebotte oder Degas verfällt Renoir dieser Schwärmerei für den Japonismus nicht auf Dauer. Allerdings malt er 1872 *Madame Monet auf dem Sofa* in diesem Stil. Die Szene spielt in Argenteuil: Dank der Ankäufe von Durand-Ruel, aber auch der finanziellen Unterstützung durch Manet verbringen hier Claude Monet, seine Frau Camille und ihr Sohn Jean glückliche Tage in einem Haus, das wahrscheinlich Manet für sie ausfindig gemacht hat. Übrigens wohnt der Maler der *Olympia* nicht weit von ihnen entfernt, denn er hält sich oft auf seinem Familiensitz in Gennevilliers auf. Renoir kommt oftmals nach Argenteuil. Vor einem Hintergrund blühender Sträucher im Garten malt er dort Monet, an der Staffelei stehend.

2. *Claude Monet beim Malen im Garten in Argenteuil,* 1875. Öl auf Leinwand, 50 x 61 cm, Schenkung Anne Parrish Titzell, Wadsworth Atheneum, Hartford

3. *Madame Monet auf dem Sofa,* 1872. Öl auf Leinwand, 54 x 73 cm, Stiftung Calouste Gulbenkian, Lissabon

3. *Madame Monet auf dem Sofa*
ist in einer hellen Palette mit
einem Gewebe kleiner, fließender Pinselstriche ausgeführt.
Renoir läßt hier, 1872, an den
Japonismus denken, den Paris
gerade entdeckt.

Folgende Seiten:
1. *Ansteigender Weg im hohen Gras*, um 1874.
Öl auf Leinwand, 60 x 74 cm, Musée d'Orsay,
Paris, R.M.N.

»Als Renoir das Moulin de la Galette malt«, berichtet Edmond, »zieht er auf sechs Monate dorthin und knüpft Bande zu den kleinen Leuten mit ihrem ganz eigenen Gehabe, das Modelle, auch wenn sie ihre Posen kopierten, nicht hergäben.« Wohl wahr, jedoch muß man daran erinnern, daß die Hauptfiguren des *Tanzes im Moulin de la Galette* langjährige Freunde Renoirs sind: Die beiden Maler Franc-Lamy und Gœneutte sowie Rivière (dem diese Identifizierung der Modelle zu verdanken ist) geben die Personen rechts im Bild ab, die an einem Tisch mit Grenadinegläsern sitzen.

Ferner erkennt Rivière auf dem Gemälde Gervex und Cordey, zwei weitere Maler, Lestringuez, einen mit dem Musiker Chabrier befreundeten Beamten, Lhote, einen regelmäßig in Renoirs Modelle verliebten Journalisten, »andere, die die Tänzer abgeben, und schließlich einen Maler von spanischer Herkunft, der sich Pedro Vidal de Solares y Cardenas nannte, in der Mitte des Bildes, in gelbgrünen Hosen und mit Margot tanzend«. Bei der jungen Frau im Vordergrund handelt es sich um Estelle, die Schwester jener Jeanne vom Montmartre, die für *Die Schaukel* Modell gestanden hatte. Täglich zieht die ganze kleine Schar von der Rue Cortot zur Mühle, denn, erläutert Georges Rivière, »das Bild wurde vollständig vor Ort ausgeführt. Das ging nicht ohne Schwierigkeiten ab, wenn der Wind pfiff und das große Gestell über der Butte Montmartre davonzusegeln drohte wie ein Drachen«. 1877 bei der dritten Impressionistenausstellung gezeigt, entgeht der *Tanz im Moulin de la Galette* den Sarkasmen, die man bis dahin für die impressionistischen Gemälde bereitgehalten hatte.

1., 2., 3., 4. Die Sitten sind zwar freizügig, aber nicht verkommen. Beim Ball im Moulin de la Galette, den Toulouse-Lautrec (3), van Gogh (4) und Renoir gemalt haben, herrscht eine familiäre Atmosphäre. Darüber wacht der Père Debray. Einer seiner Verwandten kam 1814 ums Leben, als er den Eingang der Mühle, seit 1640 im Besitz der Familie, gegen die Kosaken verteidigte. Ganz aus Holz gebaut, ist der Bau aus dem 17. Jahrhundert das letzte Überbleibsel einer Vielzahl von Mühlen, die sich vor der Errichtung von Sacré-Cœur auf dem Montmartre erhoben.

3. Henri de Toulouse-Lautrec, *Tanz im Moulin de la Galette* (Detail), 1889. Öl auf Leinwand, 90 x 100 cm, Mr. and Mrs. Lewis Larned Coburn Memorial Collection, Art Institute, Chicago

4. Vincent van Gogh, *Moulin de la Galette*, 1886. Öl auf Leinwand, 38 x 46,5 cm, Nationalgalerie, Berlin

5. *Moulin de la Galette*, Skizze, 1876. Öl auf Leinwand, 64 x 85 cm, Ordrupgaardsamlingen, Kopenhagen

5. »Dieses Bild muß unbedingt
ausgeführt werden!« ruft Franc-
Lamy im Atelier in der Rue Saint-
Georges aus, als er die von
Renoir aus dem Gedächtnis
gefertigte Skizze zum *Tanz im
Moulin de la Galette* sieht. Mit
den Tänzern, die sich unter den
Girlanden und ein paar
schmächtigen Akazien drehen,
ist die Jahrmarktsatmosphäre
schon zu spüren.

Folgende Seiten:
Tanz im Moulin de la Galette, 1876.
Öl auf Leinwand, 131 x 175 cm, Musée d'Orsay,
Paris, R.M.N.

Manet lehnte die Teilnahme an den Impressionistenausstellungen stets ab, weil er sich unter allen Umständen beim Salon behaupten wollte. Renoir hingegen war einer der Hauptorganisatoren dieser Ausstellungen, vor allem der ersten im Jahre 1874 bei Nadar; er hat aber deshalb die Salons keineswegs verschmäht, ganz im Gegenteil. Die Jury war ihm, seit er 1864 zum erstenmal zugelassen wurde, nicht durchgängig feindlich gesinnt. Im übrigen hat seine erneute Beteiligung im Jahre 1878 eine solche Entrüstung unter seinen Impressionistenfreunden ausgelöst, daß Monet und Pissarro die Gruppe über ein Verbot abstimmen ließen, gleichzeitig im Salon und mit ihnen auszustellen. Der Erfolg des Gemäldes *Madame Charpentier und ihre Kinder* beim Salon von 1879 und die einmütig lobesvollen Pressestimmen tragen Renoir rasch das Interesse neuer Mäzene und zahlreiche Porträtaufträge ein. Das war das erstrebte Ziel, wie er Durand-Ruel 1881 aus Algerien schreibt: »Es gibt in Paris kaum fünfzehn Kunstliebhaber, die einen Maler ohne den Salon zu lieben imstande sind; und es gibt mindestens achtzigtausend, die nicht einmal eine Nase kaufen würden, wenn der Maler nicht im Salon ist. Eben deshalb reiche ich alle zwei Jahre zwei Porträts ein, so wenig das auch sein mag.« Unter diesen Mäzenen befinden sich bereits die Familie Charpentier, der Konditor und Restaurateur Murer, dessen Sammlung fünfzehn Renoirs umfassen wird, der Graf Doria, der wie der Industrielle Dollfus zehn seiner Bilder besitzt, der Kunstliebhaber Paul Gallimard, dessen Sammlung, die umfangreichste von allen, sich heute in den großen Museen der Welt verstreut findet; und schließlich der Freund Chocquet, der schon 1876 sechs und bei seinem Tode zehn Bilder von Renoir sein eigen nennt.

Jetzt ist es Deudon, ein Freund aus dem Kreis der »Union artistique«, der Renoir dem Botschaftssekretär Pierre Bérard, Sammler von Monet, Sisley und Berthe Morisot, empfiehlt. Zwischen dem Maler und dem Kunstliebhaber entwickelt sich eine treue Freundschaft. Fortan ist Renoir mit einer Vielzahl von Aufträgen beschäftigt, darunter das Porträt der Demoiselles Grimprel sowie der Demoiselles Cahen d'Anvers. Das Bildnis der Bankierstochter Irène Cahen d'Anvers ist unter den Kinderporträts, die die reichen Familien bei Renoir bestellen, eines der schönsten in dieser Periode. Der Maler ist nun im Vollbesitz seines Talents: Doch schon beginnt in ihm der Zweifel zu nagen, welche Orientierung er seiner Kunst geben soll.

1. *Die kleine Bohemienne,* 1879. Öl auf Leinwand, 73 x 54 cm, Privatbesitz

2. *Bildnis Irène Cahen d'Anvers,* 1880. Öl auf Leinwand, 65 x 54 cm, Sammlung Bührle, Zürich

Nach Venedig, Rom und Neapel besucht Renoir Capri. Er ist hingerissen: »Capri ist eine wundervolle Insel, so winzig, und doch findet man alles, was man zum Malen braucht, Grotten in allen Farben, übrigens unmöglich zu malen.« »Die Blaue Grotte«, fährt er fort, »ist von außerordentlicher Transparenz und von einem Blau, das wir nicht auf unserer Palette haben.« Aber im Laufe dieser Reise begeistert er sich nicht nur an Landschaft und Licht. Aufmerksam sieht er sich die klassischen Meister an. In Neapel besichtigt er die pompejanischen Fresken, anhand deren er dem Geheimnis der Alten auf die Spur kommen will. Er will seine Faktur verjüngen, reinigen, sein Sujet auf die wesentlichen Elemente konzentrieren; er sucht der Linie, der Zeichnung wieder jenen Vorrang zu geben, den sie zugunsten weicherer, einen allgemeinen Eindruck wiedergebender Umrisse verloren hatte. Renoir schlägt hier eine Richtung ein, die ihn immer weiter vom Impressionismus fortführt, studiert die Kunst der Linie bei den Meistern, die darin brilliert haben: Raffael natürlich, von dem er die einfache, ausgewogene Komposition und die Strenge in der Anordnung deutlich unterschiedener und abgestufter Ebenen lernt. Dann Ingres, dessen Lehre sich auf eine schroffe Maxime gründete: »Die Zeichnung ist die Redlichkeit der Kunst.« Diese Entwicklung in Renoirs Stil veranschaulicht die *Blonde Badende* sehr deutlich. Aline Charigot saß für dieses plastisch fein ausgearbeitete Werk, in dem die Formen reich sind, aber deutlich bestimmt durch präzisere, weniger ungefähre Umrisse als in den meisten Bildern des vorangegangenen Jahrzehnts. Mehr noch, Renoir vereinfacht die Komposition, lenkt alle Aufmerksamkeit auf die Figur; die junge Frau erscheint ganz für sich, ohne Requisit, ohne all die Gegenstände und Attribute, die gewöhnlich einen Akt umgeben.

Renoir ist sich der Revolution, die in diesem Bild im Keim angelegt ist, sehr wohl bewußt. Seine Freunde waren entgeistert, wie er viele Jahre später dem Maler und Schriftsteller Jacques-Emile Blanche in einem Brief ins Gedächtnis ruft: »Erinnere Dich an Paul Bérard, Deudon, Charles Ephrussi, als ich meine Badende aus Capri mitbrachte. Was hatten sie da für eine Heidenangst, daß ich keine Ninis mehr machen würde!« Aline ist, als sie für das Gemälde sitzt, noch nicht Renoirs Ehefrau, aber er versieht ihren Finger vorsorglich mit einem Trauring, wohl um engstirnige Sammler nicht vor den Kopf zu stoßen ...

»Ich war immer bemüht, Menschen wie schöne Früchte zu malen.«

1., 2. Die 1881 auf Capri (das Foto entstand um die Jahrhundertwende) gemalte *Blonde Badende* verdankt sich Renoirs Entdeckung Raffaels und seiner ästhetischen Krise, die die herbe oder ingreske Periode ankündigt. In diesem Übergangswerk verleiht indes Alines sanftes Gesicht dem Gemälde eine nicht nur sinnliche, sondern auch geistige Präsenz, die in den *Großen Badenden* nicht mehr vorhanden sein wird.

2. *Blonde Badende*, 1881. Öl auf Leinwand, 81 x 65 cm, Sterling and Francine Clark Art Institute, Williamstown, Mass.

1., 2. »Trist bei grauem Wetter, klangvoll in der Sonne, silbrig im Wind« – das Aixer Land betört Renoir. Die Ansichten, die er in Gesellschaft Cézannes malt, lassen den Einfluß des Aixer Malers erkennen. Doch macht diese Version des Sainte-Victoire-Motivs den Unterschied deutlich. Bei Renoir sind die Pinselstriche fließender, die Stimmung ist impressionistischer. Das Bild wurde 1889 wohl im Atelier ausgeführt, nach einer Fassung aus dem Vorjahr, auf der zwei kleine, auf dem Feld arbeitende Figuren zu sehen waren. Für Cézanne ist der Berg Sainte-Victoire unbewegt »wie ein Apfel«. Nach einer getreuen geologischen Nachbildung beseitigt er mehr und mehr die Ebenen des Vordergrundes und die Anhaltspunkte dort. Es bleiben dann Volumen, die den Betrachter in den Raum führen, wo der Blick sich im Unendlichen verliert.

»Wie schön das ist!
Sicher das schönste
Land der Welt,
und noch unbewohnt.«

Junge Mädchen beim Klavierspiel sind ein Lieblingsthema Renoirs. Bereits 1876 war er mit *Frau am Klavier* zur Vollendung der impressionistischen Manier gelangt. Ein Auftragsporträt von 1888 zeigt die Töchter von Catulle Mendès am Klavier, und *Die Klavierstunde,* um 1889, greift das Thema von neuem auf. Dieses von Durand-Ruel erworbene und dann weiterverkaufte Gemälde sollte bei der großen Renoir-Retrospektive des Jahres 1892 gezeigt werden, ebenso wie das in diesem Jahr entstandene Bild *Zwei Mädchen am Klavier,* das hernach vom Staat gekauft wird. Tatsächlich nutzt Stéphane Mallarmé seine alte Freundschaft mit Henri Roujon, seit 1891 Direktor der Beaux-Art, um diesen von Renoirs Talent zu unterrichten. Roujon gibt also nach langen Unterredungen mit dem Dichter seine Weisungen zum Kauf: »Von M. Renoir zum Preis von 4000 Franc ein Gemälde erwerben: *Zwei Mädchen am Klavier.*« Aber der Kauf sollte erst später getätigt werden, und Renoir, erneut voller Zweifel und beunruhigt, nimmt sich das Motiv abermals vor und stellt eine Reihe von Versionen desselben Sujets her, unter denen der Käufer, verdutzt, seine Wahl treffen soll. Mallarmé kommentiert dieses Hin und Her ironisch: »Damit hat Renoir gewonnen, daß er dasselbe Gemälde nebendran nochmals macht, und Sie werden sich mit der Wahl quälen dürfen.«

I m übrigen sollten rasch zahlreiche Kritiker die schließlich vom Staat auserkorene Version für die keineswegs beste erklären. Und wenn man dem Kunstkritiker und Sammler Arsène Alexandre, der das Vorwort zum Katalog der Retrospektive verfaßte, glauben kann, teilte Renoir diese Ansicht: »Renoir fing dieses Bild fünf- oder sechsmal von vorn an, jedesmal auf fast dieselbe Weise. Allein der Gedanke an den Auftrag reichte aus, um ihn zu lähmen und ihm das Selbstvertrauen zu nehmen. Des Ringens müde, lieferte er schließlich den Beaux-Arts das heute im Museum hängende Bild, das er unverzüglich als das am wenigsten gelungene von den fünf oder sechs abtat . . .« – wobei sich unter jenen auch das seinem Freund Caillebotte gewidmete befand. Renoir knüpft in dieser Serie wieder an eine gewisse impressionistische Faktur an und gibt die Prinzipien der herben Periode auf. Doch handelt es sich natürlich nicht um eine bloße Umkehr; Renoir setzt die Schatten nicht mehr mit Violett, was einer der Skandale des Impressionismus gewesen war, er begnügt sich vielmehr damit, allmählich den Ton zu dämpfen.

»Was soll das oberste Ziel eines Malers sein? Dieses Ziel soll sein, unaufhörlich sein Handwerk zu beweisen und zu vervollkommnen; aber dahin kann man allein durch die Tradition gelangen. Heute haben wir alle Genie, einverstanden. Sicher ist jedoch, daß wir keine Hand mehr zu zeichnen wissen und daß wir unseres Handwerks ganz und gar unkundig sind. Weil sie ihres Handwerks mächtig waren, kamen die Alten zu dieser wundervollen Stofflichkeit und diesen klaren Farben, deren Geheimnis wir vergeblich nachjagen. Ich fürchte nur, es sind nicht die neuen Theorien, die uns dieses Geheimnis offenbaren.«

2. *Die Klavierstunde* (um 1889) ist kein Doppelporträt; die Gesichter tragen keinen persönlichen Charakter. Es geht vielmehr um die Handlung, das Studium der Partitur. Die ganze Komposition scheint darauf angelegt, die Aufmerksamkeit völlig auf die liebenswürdige Anstrengung der beiden Mädchen zu lenken. Drei Jahre später, 1892, malt Renoir, um einem Staatsauftrag nachzukommen, voller Zweifel sechs Pastelle und fünf Ölgemälde desselben Themas (eine Version ist links zu sehen). Das vom Staat erstandene Bild ist seither nicht als das beste angesehen worden; dies scheint eher die Caillebotte gewidmete Fassung zu sein.

1. *Zwei Mädchen am Klavier,* 1892. Öl auf Leinwand, 116 x 90 cm, Musée d'Orsay, Paris, R.M.N.

2. *Die Klavierstunde,* um 1889. Öl auf Leinwand, 56 x 46 cm, Joslyn Art Museum, Omaha

Eugène Manet, der Bruder des Malers, und Berthe Morisot, von der Renoir sagte, sie sei die »fraulichste der Frauen«, laden den Maler nach Mézy in ein Landhaus ein, das sie in jenem Sommer 1890 gemietet haben. Wahrscheinlich dort malt Renoir *Auf der Wiese*. Für ihn eröffnet sich eine neue Periode, in der er radikal mit der »herben«, der linearen, harten Manier bricht. Man wird sie die perlmutterne Periode nennen, verkörpert von den künftigen *Badenden* mit ihren sanft nuancierten Farbschattierungen. Das Thema der Ernte stand seit 1880 in der Gunst der Impressionisten, bot es ihnen doch jene kompositorische Freiheit, in der Landschaft und Figuren verschmolzen. So nahm Pissarro 1886 eine Technik in Angriff, zu der er Durand-Ruel schrieb: »Was nun die Ausführung betrifft, so betrachten wir sie als null und nichtig, was im übrigen unwesentlich ist, weil die Kunst, wie wir finden, dort ohnehin nichts zu schaffen hat. Denn die Originalität besteht allein im Charakter der Zeichnung und der jedem Maler eigenen Sehweise.« Und der Kunstkritiker George Moore sollte (nach Christopher Lloyd) über Pissarros *Apfelernte* schreiben: »Die Figuren scheinen sich fortzu-bewegen wie in einem Traum.« Während des Aufenthalts in Mézy im Jahre 1891 beginnt Berthe Morisot mit dem *Kirschbaum*.

»... Berthe Morisot, diese fraulichste der Frauen, da könnte sogar die Jungfrau mit dem Hasen eifersüchtig werden.«

1. 1891 malt Berthe Morisot den *Kirschbaum*. Die wassergrünen Farben, die geglättete Faktur, die Leichtigkeit des mit Früchten vollgepackten Korbs und die Algenformen des Kirschbaums vermitteln den seltsamen Eindruck eines mythischen Unter-wassergartens.

2. Pissarro schafft 1886, mit sechsundfünfzig Jahren, diese *Apfelernte* in einer divisionisti-schen Faktur nach Art Seurats.

3. Georges d'Espagnat ist sieben-undzwanzig, als er diese *Apfel-ernte* malt. Gemeinsam mit sei-nem Freund Valtat wird er den nach Cagnes übersiedelten Renoir 1905 wiedersehen.

Die Modelle sind ihre Tochter Julie und ihre Nichte Jeannie Gobillard. Berthe Morisot macht zahlreiche Vorstudien und gelangt zu mehreren Versionen, die so gut sind, daß Renoir die Künstlerin nach der Rückkehr von einem Aufenthalt in Mézy schriftlich drängt, ihre »Malerei mit den Kirschbäumen« zu voll-enden. Einige Jahre später malt Georges d'Espagnat eine *Apfelernte* in bereits symboli-stischer Auffassung.

1. Berthe Morisot, *Der Kirschbaum*, 1891–1892. Öl auf Leinwand, 136 x 89 cm, Privatbesitz

2. Camille Pissarro, *Apfelernte*, 1886. Öl auf Leinwand, 128 x 128 cm, Ohara Museum, Kurashiki

3. Georges d'Espagnat, *Apfelernte,* Öl auf Leinwand, 118 x 128 cm, Privatbesitz

4. Durch Caillebottes Tod im
Februar 1894 kommt der als
Testamentsvollstrecker einge-
setzte Renoir mit dessen jüng-
stem Bruder Martial in engere
Berührung. Für den Maler bietet
sich 1895 die Gelegenheit zu
einem Kinderbildnis. Jean im
Profil und Geneviève in ihrem
rosa Kleid sind zwei jener ohne
mondänes Gehabe in familiärer
Intimität gemalten Kinder, die
zum Liebenswertesten in Renoirs
Œuvre gehören.

Ahnherr sich gemeinsam mit Beaumarchais ruinierte, um den amerikanischen Aufständischen zu helfen. Sodann gibt es in diesem familiären Kreis eine junge Cousine der Madame Renoir, gerade aus Essoyes eingetroffen, um im Haushalt zu helfen und sich um Renoirs zweiten Sohn Jean, den späteren Cineasten, zu kümmern: Gabrielle, die dem Maler Modell stehen wird. Ferner sind da all die Montmartre-Mädchen, ehrbaren oder losen Lebenswandels, die für ein paar Modellsitzungen ins »Nebelschloß« kommen, und die Töchter des Freundes Clovis Hugues, des Schriftstellers und Abgeordneten von Montmartre: »Sie amüsierten sich gern, tanzten im Moulin de la Galette, aber es waren brave kleine Mädchen.« Und schließlich die Töchter von Paul Alexis, dessen Frau »von einer seltenen Vornehmheit« ist.

1., 2. Diese Wohnung in der Rue Girardon, das Château des Brouillards, hat Madame Renoir ausfindig gemacht. Renoir hat sich für den Fotografen auf die Freitreppe gesetzt.

Anfang 1895 reist Renoir in den Süden und besucht den Jas de Bouffan, um gemeinsam mit Cézanne zu arbeiten. Während die beiden gerade im Freien malen, erreicht sie die Nachricht vom Tode Berthe Morisots. Renoir steht auf, läuft los, packt seine Sachen, eilt zum Bahnhof und ist bei der Bestattung zugegen. Er, der malenden Frauen mißtraut, hat Berthe Morisot lebhafte Verehrung entgegengebracht. Ihr Verlust bedeutet einen Schock für ihn. Die Gruppe ist über ganz Frankreich zerstreut, und der Tod macht diese Trennung schmerzlich bewußt: »Zu Anfang waren wir eine Gruppe. Wir hielten zusammen, wir bestätigten uns gegenseitig. Und dann eines schönen Tages niemand mehr!« Berthe Morisot hat ihre Töchter und ihre Nichten, Paule und Jeannie Gobillard, Mallarmé und Renoir anvertraut. Dieser scheut keine Mühe und Kosten, lädt die Mädchen zu seiner Familie in die Bretagne ein, tanzt mit ihnen, korrigiert ihre Arbeiten, ihre Studien, ihre Zeichnungen, knüpft mit ihnen und den Kindern seiner Freunde dauerhafte Bindungen. Berthe Morisots Tod bedeutet das Ende der Abendgesellschaften, wo sich ein paar Freunde der Manets versammelten und auch Renoir geladen war: »Bei ihr wurde sogar Degas umgänglich.« Berthe Morisot sollte Renoir ein posthumes Geschenk machen. Sie kannte einen etwas weichlichen jungen Mann mit ständig verschlafener Miene, der sich als einer der geschicktesten Händler von Paris erweisen sollte, und ihm hatte sie von Renoir erzählt. So begibt sich Ambroise Vollard ins Château des Brouillards, um mit dem Maler Bekanntschaft zu schließen. Renoir mag den jungen Mann mit dem »müden Gang eines Karthagergenerals« auf den ersten Blick.

3. 1897 malt Renoir *Die Schläferin*, deren entwickelter Körper sich mit dem Reiz eines jugendlichen Gesichts verbindet. Ganz von einem inneren Licht erhellt, ruht die Nymphe in der Schatulle eines imaginären Zimmers. Die Haltung mag vertraut und ungekünstelt erscheinen, beruht aber in Wirklichkeit auf einer wunderbar aufgebauten Konstruktion: Der von den Armen gebildete Bogen findet sein Gleichgewicht im Gesicht; das Blau des Hintergrundes hebt die warmen Töne des Leibes und der Draperie hervor.

3. *Die Schläferin,* 1897. Öl auf Leinwand, 81 x 65 cm, Sammlung Oskar Reinhart, Winterthur

3. Hermes hat den Hirten Paris damit beauftragt, unter den drei Göttinnen Aphrodite, Hera und Athene die Schönste zu küren, indem er der Siegerin einen Apfel darreicht. Die Schönheit der Liebesgöttin Aphrodite bezaubert Paris. Rubens stellt die üppige Schönheit blonder Fläminnen dar. Aphrodite trägt die Züge seiner zweiten Frau Hélène Fourment.

Merkwürdigerweise malt Renoir erst 1910 ein Porträt seines Freundes und Händlers Paul Durand-Ruel. Dabei währt ihre Freundschaft nun schon vierzig Jahre. Durand-Ruel ist nicht nur Freund, sondern vor allem finanzielle Stütze der Impressionistengruppe: »Begeisterung ist ja gut und schön, füllt aber nicht den Magen«, sagt Renoir im Hinblick auf ihn. Der Sohn eines früheren Buchhändlers, der rasch zu einem bedeutenden Kunsthändler wurde, scheut sich nicht, Partei gegen die offizielle Malerei zu ergreifen: »Bei der Weltausstellung von 1855 war Durand-Ruel keine fünfundzwanzig Jahre alt, und er verteidigte Delacroix gegen den Kaiser, der nur Winterhalter mochte.« Er liebt Monet, bevorzugt Renoir, weiß aber den anderen Impressionisten denselben Wert beizumessen: »Er war schlau genug, um zu wittern, daß auf diesem Gebiet etwas zu machen war. Und ich glaube, er liebte unsere Malerei aufrichtig.« Als Durand-Ruel 1882 infolge des Zusammenbruchs der Union générale des banques vor dem Ruin steht, bekundet Renoir ihm umgehend sein Mitgefühl, indem er ihn ermächtigt, den Preis seiner Gemälde herabzusetzen: »Sollten Sie zu Einbußen gezwungen sein, so bedauern Sie nichts, denn ich werde Ihnen andere und bessere [Bilder] machen.« Die Krise treibt Durand-Ruel dazu, 1886 in New York auszustellen, wo er dreihundertzehn Bilder präsentiert, darunter achtunddreißig von Renoir. Dieser bittet Paul Durand-Ruels Sohn Georges, die Patenschaft für sein Kind Jean zu übernehmen, womit er die Freundesbande zwischen den Durand-Ruels und seiner Familie noch enger knüpft. Indes sollte diese Freundschaft die anderen Händler nicht hindern, Bilder direkt bei Renoir zu kaufen, doch kommen solche Verkäufe selten vor, und es handelt sich dabei zuallermeist um Familienporträts.

Unter diesen Händlern ist Vollard nach Renoirs Geschmack: »Die Leute räsonieren, finden Vergleiche, lassen in ihrer Rede die gesamte Kunstgeschichte vorbeiziehen, bevor sie ein Urteil aussprechen. Dieser junge Mann verhielt sich vor dem Gemälde wie ein Jagdhund vor dem Wild.« Vollard findet eine originelle Lösung, Renoir an sich zu binden. Da er den Bildermarkt nicht bekommen kann, schlägt er dem Künstler vor, Plastiken zu machen. Er setzt ihn dann mit dem Gehilfen Guino in Verbindung, und so verdanken wir Vollard das bildhauerische Werk Renoirs.

»Ein Händler muß verdienen. Dafür ist er da. Sein Gewinn dient dazu, Maler zu unterstützen, die das Publikum nicht will.«

1. Anfang 1910 geht es Renoir besser, und er tauscht seine Krücken gegen einen Stock. Er hat sich an eine Serie von Porträts gemacht, darunter ein – nie vollendetes – *Selbstporträt mit weißem Hut*. Dank zweier großer Spiegel sieht Renoir sich im Profil, vor grünem Hintergrund, mit seinem gewohnten weißen Stoffhut. Eines Abends zerbricht sein Sohn Jean aus Versehen einen der Spiegel. Renoir nimmt dies zum Vorwand, um das Bild aufzugeben und lieber Frauen zu malen. Es ist dies das letzte Selbstbildnis Renoirs, der selten das Bedürfnis empfand, sein Gesicht zu erforschen.

2. Ambroise Vollard hält hier eine Statuette von Maillol – möglicherweise ein ironisches Augenzwinkern Renoirs, der dem jungen Händler die Exklusivrechte an seinen Plastiken überträgt wird. »Die Miene vor Langeweile verdrossen und von schlaffem Gang«, verbarg Vollard unter schwerem Lid ein spähendes Auge von merkwürdigem Glanz. Renoir vermittelt uns diesen auf die Statuette gerichteten Blick.

3. Durand-Ruel ist der große Händler der Impressionisten, aber nur Renoir stellte ihm seine gesamte Produktion zur Verfügung und schenkte ihm seine lebenslange Freundschaft. Dieses Porträt von 1910 ist das einzige, das Renoir von dem damals achtzigjährigen »Père Durand« geschaffen hat. Bis zu seinem Tod im Jahre 1922 wird er sich diese wohlwollende Sanftmut bewahren, die Renoir auf dem Bild nicht überzubetonen brauchte.

1. *Selbstporträt mit weißem Hut,* 1910. Öl auf Leinwand, 42 x 33 cm, Privatbesitz

2. *Porträt Ambroise Vollard,* 1908. Öl auf Leinwand, 81 x 64 cm, Courtauld Institute, London

3. *Porträt Paul Durand-Ruel,* 1910. Öl auf Leinwand, 65 x 54 cm, Sammlung Durand-Ruel, Paris

137

1. *Porträt Mme. Pourtalès*, 1870. Öl auf Leinwand, 81 x 65 cm, Fogg Art Museum, Cambridge, Mass.

2. *Porträt Mme. Charles Le Cœur*, 1870. Öl auf Leinwand, 25 x 19 cm, Privatbesitz, Paris

3. *Porträt Charles Le Cœur*, 1870. Öl auf Leinwand, 25 x 19 cm, Privatbesitz, Paris

4. *Frau mit Sittich*, 1871. Öl auf Leinwand, 91 x 65 cm, Thannhauser Foundation, New York

5. *Porträt Mme. Maître*, 1871. Öl auf Leinwand, 130 x 83 cm, Privatbesitz, Paris

6. *Porträt Rapha Maître*, 1871. Öl auf Leinwand, 37 x 32 cm, Smith College Museum of Art, Northampton, Mass.

7. *Porträt Edmond Maître*, 1871. Öl auf Leinwand, 21 x 28 cm, Privatbesitz, New York

8. *Porträt Joseph Le Cœur*, 1871. Öl auf Leinwand, 27 x 21 cm, Musée d'Unterlinden, Colmar

9. *Porträt Mme. Darras*, 1871. Öl auf Leinwand, 81 x 65 cm, Metropolitan Museum of Art, New York

10. *Porträt des Hauptmanns Darras*, 1871. Öl auf Leinwand, 81 x 65 cm, Staatliche Kunstsammlungen, Gemäldegalerie, Dresden

11. *Stilleben mit Blumenstrauß und Fächer*, 1871. Öl auf Leinwand, 74 x 59 cm, Museum of Fine Arts, Houston, Tex.

12. *Die Seine bei Chatou*, 1871. Öl auf Leinwand, 46 x 61 cm, Art Gallery of Ontario, Toronto

13. *Blumen in einer Vase*, 1872. Öl auf Leinwand, 65 x 54 cm, Museum of Fine Arts, Boston, Mass.

14. *Claude Monet, lesend*, 1872. Öl auf Leinwand, 61 x 50 cm, Musée Marmottan, Paris

15. *Der Windstoß*, 1872–1873. Öl auf Leinwand, 52 x 80 cm, Fitzwilliam Museum, Cambridge

16. *Stilleben mit Melone*, 1872. Öl auf Leinwand, 54 x 65 cm, Privatbesitz

17. *Lise mit weißem Schal*, 1872. Öl auf Leinwand, 56 x 47 cm, Sammlung Reves, Roquebrune

18. *Mme. Monet beim Lesen*, 1872. Öl auf Leinwand, 65 x 50 cm, Sterling and Francine Clark Art Institute, Williamstown, Mass.

19. *Porträt Claude Monet*, 1872. Öl auf Leinwand, 61 x 50 cm, Sammlung Mellon, Upperville, Va.

20. *Blumenpflückende Frau*, 1872. Öl auf Leinwand, 65 x 54 cm, Sterling and Francine Clark Art Institute, Williamstown, Mass.

21. *Liegender Halbakt (Die Rose)*, 1872. Öl auf Leinwand, 29,5 x 25 cm, Musée d'Orsay, Paris

22. *Pfingstrosen in einer Vase*, 1872. Öl auf Leinwand, 66 x 82 cm, Städtische Kunsthalle Mannheim

23. *Die Tränke*, 1873. Öl auf Leinwand, 46 x 61 cm, Privatbesitz, Paris

24. *Erntearbeiter*, 1873. Öl auf Leinwand, 60 x 73 cm, Stiftung Sammlung E. G. Bührle, Zürich

25. *Straße von Versailles nach Louveciennes*, 1873. Öl auf Leinwand, 32,6 x 41,5 cm, Musée des Beaux-Arts, Lille

1. *Reiterin im Bois de Boulogne*, 1873. Öl auf Leinwand, 261 x 226 cm, Hamburger Kunsthalle

2. *Der Ententeich*, 1873. Öl auf Leinwand, 49 x 60 cm, Valley House Gallery, Dallas, Tex.

3. *Frau mit Sonnenschirm*, 1873. Öl auf Leinwand, 46 x 38 cm, Sammlung Hughes, New York

4. *Die Loge*, 1874. Öl auf Leinwand, 27 x 22 cm, Sammlung Durand-Ruel, Paris

5. *Die Loge*, 1874. Öl auf Leinwand, Privatbesitz

6. *Der Angler*, 1874. Öl auf Leinwand, 54 x 65 cm, Privatbesitz

7. *Die Tuilerien*, 1874. Öl auf Leinwand, 225 x 300 cm, Privatbesitz, New York

8. *Regatta bei Argenteuil*, 1874. Öl auf Leinwand, 32 x 45 cm, National Gallery of Art, Washington, D.C.

9. *Waldweg*, 1874. Öl auf Leinwand, 66 x 55 cm, Privatbesitz, New York

10. *Porträt Mme. Monet*, 1872–1875. Öl auf Leinwand, 36 x 62 cm, Sammlung Peralta-Ramos, Mexiko

11. *Am Ufer*, 1874. Öl auf Leinwand, 54 x 65 cm, Philadelphia Museum of Art

12. *Serviererin im Restaurant Duval*, 1874. Öl auf Leinwand, 101 x 71 cm, Metropolitan Museum of Art, New York

13. *Porträt Charles Le Cœur*, 1874. Öl auf Leinwand, Privatbesitz, Beverly Hills

14. *Lesende junge Frau in einem Garten mit einem Hund auf dem Schoß*, 1874. Öl auf Leinwand, 61 x 49 cm, Privatbesitz, London

15. *Frau in einem Sessel*, 1874. Öl auf Leinwand, 61 x 50 cm, Privatbesitz, New York

16. *Porträt Mme. George Hartmann*, 1874. Öl auf Leinwand, 184 x 124 cm, Musée d'Orsay, Paris

17. *Porträt Alfred Sisley*, 1874. Öl auf Leinwand, 65 x 54 cm, Art Institute of Chicago

18. *Schneelandschaft*, 1870–1875. Öl auf Leinwand, 50 x 65 cm, Musée de l'Orangerie, Paris

19. *Der Spaziergang*, 1874. Öl auf Leinwand, 168 x 104 cm, Frick Collection, New York

20. *Nini-Gueule-de-Raie*, um 1874. Öl auf Leinwand, 55 x 46 cm, National Gallery of Art, Washington, D.C.

21. *La Grisette*, 1875. Öl auf Leinwand, 41 x 32 cm, Nationalmuseum, Stockholm

22. *Junge Frau im Garten (La Grisette)*, 1875. Öl auf Leinwand, 46 x 38 cm, Privatbesitz

23. *Mme. Henriot, kostümiert*, 1875. Öl auf Leinwand, 161 x 104 cm, Gallery of Fine Arts, Columbus

24. *Die Quelle*, 1875. Öl auf Leinwand, 130 x 78 cm, Barnes Foundation, Merion, Pa.

25. *Frauenporträt*, 1875. Öl auf Leinwand, 35 x 24 cm, Sammlung Hahnloser, Bern

1. *Die jüdische Hochzeit,* 1875.
Öl auf Leinwand, 108 x 144 cm,
Worcester Art Museum,
Worcester, Mass.

2. *Die Sinnende,* 1875.
Öl auf Leinwand, 46 x 38 cm,
Virginia Museum

3. *Porträt Mme. Chocquet in
Weiß,* 1875. Öl auf Leinwand,
75 x 60 cm, Staatsgalerie,
Stuttgart

4. *Junge Frau beim Häkeln,*
1875. Öl auf Leinwand,
74 x 59 cm, Sterling and
Francine Clark Art Institute,
Williamstown, Mass.

5. *Junge Frau mit Schleier,*
um 1875. Öl auf Leinwand,
61 x 50 cm, Musée d'Orsay,
Paris

6. *Die Putzmacherin,* 1875.
Öl auf Leinwand, 59 x 49 cm,
Sammlung Oskar Reinhart,
Winterthur

7. *Selbstporträt,* 1875. Öl auf
Leinwand, 19 x 14 cm, Ster-
ling and Francine Clark Art
Institute, Williamstown, Mass.

8. *Am Flußufer,* 1875.
Öl auf Leinwand, 57,5 x 70 cm,
Sammlung Wildenstein,
New York

9. *Im Garten (Zwei Frauen im
Gras),* 1875. Öl auf Leinwand,
70 x 75 cm, Barnes Foundation, Merion, Pa.

10. *Nini im Garten,* 1875.
Öl auf Leinwand, 61 x 50 cm,
Privatbesitz, London

11. *Selbstporträt,* 1876.
Öl auf Leinwand, 73 x 56 cm,
Fogg Art Museum, Cambridge,
Mass.

12. *Der Gedanke,* 1876–1877.
Öl auf Leinwand, 66 x 55 cm,
England

13. *Tanz im Moulin de la
Galette,* 1876. Öl auf Leinwand, 78 x 118 cm, Privatbesitz, Tokio

14. *Kleine Badende,* um 1876.
Öl auf Leinwand, 11 x 7 cm,
Privatbesitz, New York

15. *Der Hund Tama,* 1876.
Öl auf Leinwand, 38,5 x 46 cm,
Sterling and Francine Clark
Art Institute, Williamstown,
Mass.

16. *Die Familie Henriot,* um
1876. Öl auf Leinwand,
114 x 163 cm, Barnes
Foundation, Merion, Pa.

17. *Frau mit Katze,* 1876.
Öl auf Leinwand, 55 x 46 cm,
National Gallery of Art,
Washington, D.C.

18. *Porträt Mlle. Muller,* 1876.
Öl auf Leinwand, 67 x 57 cm,
National Gallery of Art,
Washington, D.C.

19. *Mme. Chocquet am Fen-
ster,* 1876. Öl auf Leinwand,
67 x 55 cm, im Zweiten Weltkrieg verschollen

20. *Mme. Choquet, lesend,*
1876. Öl auf Leinwand,
65 x 54 cm, Privatbesitz,
Dallas, Tex.

21. *Victor Chocquet,* 1876.
Öl auf Leinwand, 46 x 37 cm,
Fogg Art Museum, Cambridge,
Mass.

22. *Junge Frau mit schwarzem
Mieder,* 1876. Öl auf Leinwand, 60,4 x 40,4 cm,
Bayerische Staatsgemäldesamm-
lungen, München

23. *Auf der Straße,* 1876.
Öl auf Leinwand, 44 x 36 cm,
Ny Carlsberg Glyptotek,
Kopenhagen

24. *Im Garten,* 1876.
Öl auf Leinwand, 81 x 65 cm,
Puschkin-Museum, Moskau

25. *Sitzender Akt,* 1876.
Öl auf Leinwand, 92 x 73 cm,
Puschkin-Museum, Moskau

as kulturelle Leben	Geschichte
gres kehrt aus Italien zurück und wird in Frankreich triumphal empfangen. rthe Morisot geboren.	Louis-Philippe ist seit 1830 König der Franzosen (Julimonarchie). Herrschaft der Großbourgeoisie, zunehmende Industrialisierung, erste Eisenbahnen.
stave Caillebotte geboren. Jongkind malt in der Normandie. llet: *Der Kornschwinger*.	Revolutionen und Aufstände fast überall in Europa. Abdankung Louis-Philippes, *Arbeiteraufstand. Im Dezember Louis Napoleon Präsident*.
urbet zeigt *Die Dorfmädchen* im Salon. Richard Wagner: *Das Rheingold*.	Marcelin Berthelot formuliert die Grundsätze der Thermochemie. Krimkrieg, Belagerung Sewastopols. Erzwungene Öffnung der japanischen Häfen.
ltausstellung in Paris. Courbet stellt separat aus, weil sein *Atelier* zurückgewiesen orden war. Tod François Rudes und Gérard de Nervals.	Königin Victoria besucht Paris. Alexander II. folgt seinem Vater Nikolaus I. auf dem Zarenthron.
gres arbeitet am *Türkischen Bad*. Wagner: Tannhäuser-Premiere an der Pariser Oper. illol geboren.	Mexikanische Expedition. Beginn des Bürgerkriegs in den USA. Aufhebung der Leibeigenschaft in Rußland.
ubert: *Salammbô*. Victor Hugo: *Die Elenden*. Jean-Baptiste Carpeaux: olino und seine Söhne. Charles Gounod: *Die Königin von Saba*. Debussy geboren.	Weltausstellung in London. Bismarck preußischer Ministerpräsident.
ndal um Manets *Frühstück im Freien* beim Salon des Refusés. Jules Verne: nf Wochen im Ballon. Tod Alfred de Vignys.	Kambodscha französisches Protektorat. Eröffnung der Londoner U-Bahn. Lassalle gründet Allgemeinen Deutschen Arbeiterverein.
nri Fantin-Latour: *Huldigung an Delacroix*. Jacques Offenbach: *Die schöne Helena*. nri de Toulouse-Lautrec geboren.	Cadart gründet die Union des artistes. Koalitionsrecht in Frankreich. Deutsch-Dänischer Krieg. Gründung des Roten Kreuzes.
net zeigt die *Olympia* im Salon. Lewis Carroll: *Alice im Wunderland*. Leo Tolstoi: eg und Frieden.	Gregor Mendel entdeckt die Gesetze der Vererbung. Aufhebung der Sklaverei in den USA. Ermordung Abraham Lincolns.
rpeaux zeigt *Flora* im Salon. Degas malt Pferderennen-Szenen. Monet: *Frauen Garten*. Fjodor Dostojewski: *Schuld und Sühne*.	Erste Schreibmaschine (USA). Das erste transatlantische Telegraphenkabel wird verlegt. Deutscher Krieg.
rl Marx: *Das Kapital* (1. Band). Tod Baudelaires und Ingres'. Bazille: *Das milientreffen*. Renoir, Sisley, Bazille, Pissarro fordern einen Salon des Refusés.	Weltausstellung in Paris. Werner von Siemens erfindet die Dynamomaschine. Erschießung Kaiser Maximilians von Mexiko.
net: *Les Navires sortant des jetées du Havre*. Manet: *Emile Zola*. Alphonse Daudet: r kleine Dingsda. Dostojewski: *Der Idiot*.	Beginn der deutschen Gewerkschaftsbewegung. In Japan Beginn der Meiji-Ära unter Mutsuhito.
rpeaux: *Der Tanz*. Manet: *Der Balkon*. Daudet: *Briefe aus meiner Mühle*. d Lamartines und Berlioz'. Grieg: *Klavierkonzert*.	Eröffnung des Suezkanals. Eröffnung der ersten Pazifikeisenbahn. Mahatma Gandhi geboren.
ntin-Latour: *Das Atelier in Les Batignolles*. Bazille: *Die Toilette*. Sisley: *Lastkähne auf m Kanal Saint-Martin*. Tod Lautréamonts, Mérimées und Dickens'.	19. Juli: Frankreich erklärt Preußen den Krieg. 4. September: Frankreich wird zur Republik erklärt (3. Republik). Belagerung von Paris.
rdi: *Aida*. Cézanne: *Schneeschmelze bei L'Estaque*. Durand-Ruel zeigt in London tgenössische Malerei. Rouault geboren.	28. Januar: Frankreich kapituliert. März–Mai: Kommuneaufstand in Paris. Gründung des Deutschen Reichs. 10. Mai: Friede von Frankfurt a. M.
es Verne: *Reise um die Welt in 80 Tagen*. Sisley: *Brückensteg von Argenteuil*. zet: *L'Arlesienne*.	Treffen der Kaiser Franz Joseph, Wilhelm I., Alexander II. in Berlin. Allgemeine Wehrpflicht in Frankreich. Beginn des Kulturkampfs in Preußen.
gas in New Orleans. Pissarro: *Rauhreif*. Rimbaud: *Eine Zeit in der Hölle*. lstoi: *Anna Karenina*.	Dreikaiserabkommen zwischen Rußland, Österreich und dem Deutschen Reich. Ausrufung der Republik in Spanien. Tod Napoleons III.
net: *Sommertag bei Argenteuil*. Manet: *Die Eisenbahn*. Mussorgski: *Boris Godunow*. d Charles Gleyres.	Restauration der Bourbonen in Spanien. Gründung des Weltpostvereins. Winston Churchill geboren.
d Corots und Millets. Caillebotte: *Die Parkettabzieher*. Joris-Karl Huysmans: *Martha*. urand-Ruel schließt seine Galerie in London.	Vereinigung des Allgemeinen Deutschen Arbeitervereins und der Sozialdemokratischen Arbeiterpartei zur Sozialistischen Arbeiterpartei Deutschlands.
gas: *Absinth*. Manet: *Stéphane Mallarmé*. Monet beginnt die Serie r Bahnhof Saint-Lazare. Tod Diaz'.	Ende des 3. Karlistenkriegs in Spanien. A. G. Bell erfindet das Telefon. Internationale Meterkonvention.
net: *Nana*. Degas: *Im Konzert-Café Les Ambassadeurs*. Zola: *L'Assommoir*. ostojewski: *Die Brüder Karamasow*. Tschaikowski: *Schwanensee*. Tod Courbets.	Königin Victoria nimmt den Titel »Kaiserin von Indien« an. Großbritannien annektiert die Burenrepublik Transvaal.
ntin-Latour: *Die Familie Dubourg*. Degas: *Tänzerin mit Blumenstrauß*. Zola: *Nana*. chaikowski: *Eugen Onegin*.	Sozialistengesetze in Deutschland. Umberto I. wird König von Italien.
d Daumiers. Manet: *Im Boot*. Fantin-Latour: *La Leçon de dessin à l'atelier*. ley und Cézanne beim Salon abgewiesen.	Gründung der französischen Arbeiterpartei. Jules Grévy Präsident der 3. Republik (bis 1887). Laizistische Reformen.
din: *Der Denker*. Manet: *Bei Père Lathuille*. Jongkind: *Der Tag und die Nacht*. d Flauberts und Offenbachs.	Tahiti wird französische Kolonie. Amnestie der Teilnehmer am Kommuneaufstand.
vis de Chavannes: *Der arme Fischer*. Guy de Maupassant: *Das Haus Tellier*. nry James: *Die Damen aus Boston*. Picasso geboren.	Elektrische Beleuchtung auf den großen Boulevards von Paris. Versammlungs- und Pressefreiheit in Frankreich.
net: *Die Bar in den Folies-Bergère*. Fantin-Latour: *Porträt Madame Lerolle*. agner: *Parsifal* uraufgeführt. James Joyce geboren.	Börsenkrach in Frankreich. Dreibund zwischen Deutschem Reich, Österreich-Ungarn und Italien.
nz Kafka geboren. Stevenson: *Die Schatzinsel*. Ausstellung japanischer Holzschnitte i Georges Petit. Tod Manets und Wagners.	Annam wird französisches Protektorat. Beginn der Sozialversicherungsgesetzgebung in Deutschland. Tod Karl Marx'.
ründung der Société des artistes indépendants. Nietzsche: *Also sprach Zarathustra*. ark Twain: *Abenteuer des Huckleberry Finn*. Rodin: *Victor Hugo*.	Beginn der Kongokonferenz in Berlin. Mergenthaler erfindet eine Setzmaschine.

Zeittafel

Renoirs Leben	Hauptwerke
1885 Geburt des ersten Sohnes Pierre. Aufenthalte in La Roche-Guyon, Essoyes. Depressionen.	*Blumenvase, Anemonen, Mädchen mit Reif, Kind mit Peitsche, Badende, sich frisierend, Sitzende Badende.*
1886 Ausstellung der »XX« in Brüssel. Mit der Familie in La Roche-Guyon. Zerstört Bilder. Im Winter in Essoyes.	*Mutterbildnis, Gartenszene in der Bretagne, Frau mit Fächer, Die Hirtin.*
1887 Malt in Paris *Porträt Julie Manet*. Im Herbst mit Aline und Pierre in Auvers, trifft Pissarro.	*Der Zopf, Mädchen beim Federballspiel, Badende, Die großen Badenden, Im Jardin du Luxembourg.*
1888 Bei Cézanne im Jas de Bouffan. Im April in Cagnes. Mit Sisley und Pissarro Ausstellung bei Durand-Ruel. Polyarthritisanfall.	*Die Töchter Catull Mendès' am Klavier, Bougival, Die Seine bei Argenteuil, Kleines Mädchen mit Garbe, Mädchen mit Korb, Badende.*
1890 Heirat mit Aline Charigot in Paris. Im Salon *Die Töchter Catulle Mendès'*. Aline erleidet eine Fehlgeburt.	*Moosrosen, Bois de la Chaise bei Noirmoutier, Beim Blumenpflücken, Mädchen auf einer Wiese.*
1891 Mit der Familie in Mezy. Durand-Ruel kauft die drei *Tanz*-Bilder für 7500 Franc pro Stück.	*Stilleben mit Granatäpfeln.*
1892 Dienstagabende bei Mallarmé. Der Staat kauft *Mädchen am Klavier*. Ausstellung bei Durand-Ruel. Tod Durand-Ruels.	*Badende, sich frisierend.*
1894 Lernt Albert André kennen. Tod Caillebottes. Malt Berthe Morisot und Julie Manet. Gabrielle Renard tritt in seine Dienste. Geburt des Sohnes Jean.	*Essoyes, Berthe Morisot und ihre Tochter.*
1895 Renoir wird Vormund von Julie Manet, lädt sie mit Jeanne und Paule Gobillard in die Bretagne ein. Lernt Ambroise Vollard kennen.	*Die Bucht von Douarnenez, Die Caillebotteschen Kinder.*
1897 Im Sommer mit der Familie in Essoyes. Bricht den rechten Arm bei einem Sturz vom Fahrrad. Julie Manet bei den Renoirs.	*Normannische Landschaft, Badende mit Krabbe, Die Schläferin, Gitarrenspielerin.*
1898 Erwerb eines Hauses in Essoyes, wo er die Hälfte des Jahres lebt. Mit Misia Natanson bei Mallarmés Begräbnis.	*Anemonen, Der Ententeich.*
1900 Ausstellung bei Bernheim-Jeune, Ausstellung mit Monet bei Durand-Ruel in New York.	*Landschaft bei Beaulieu.*
1901 Geburt des Sohnes Claude in Essoyes. Landschaftsbilder in Fontainebleau.	*Liegende Badende.*
1903 Mietet das Posthaus in Cagnes-sur-Mer. Probleme mit Fälschungen seiner Bilder.	
1904 Aufenthalt in Cagnes. Reise nach Bourbonne-les-Bains. Ein Saal mit seinen Bildern beim Herbstsalon. Zwölf Lithographien für Vollard.	*Le Déjeuner de bébé, Claude Renoir in arabischem Gewand, Die Stickerinnen, Liegende Badende, Versailles.*
1905 Verbringt den Frühling in Cagnes. Tod Charpentiers und Bérards. Winter in Cagnes.	*Porträt Coco, Junge Frau in orientalischem Gewand, Badende mit offenem Haar, Landschaft bei Cagnes, Terrasse bei Cagnes.*
1906 Rodin zu Besuch. Maillol schafft eine Büste Renoirs. Winter in Cagnes.	*Coco beim Schreibenlernen.*
1907 Erwirbt Les Collettes in Cagnes. Ausstellungen in Prag, Straßburg und bei Bernheim-Jeune.	*Weiße Rosen, Landschaft, vom Haus in Cagnes aus gesehen, Gabrielle in offener Bluse.*
1908 Mitglied der belgischen Société royale. Modelliert eigenhändig zwei Coco-Porträts.	*Ambroise Vollard, Die Mispeln, Landschaft bei Nizza, Die Erdbeeren, Das Urteil des Paris.*
1910 Durand-Ruel in Cagnes. Im Spätsommer in Deutschland bei der Familie Thurneyssen. Zum Jahresende in Cagnes.	*Landschaft bei Cannes, Liegende Badende, Selbstporträt mit weißem Hut, Sitzende Bader Paul Durand-Ruel, Gabrielle mit Schmuckkästchen.*
1911 Erste Renoir-Monographie (Julius Meier-Gräfe). Offizier der Ehrenlegion. Mietet Atelier und Wohnung am Boulevard Rochechouart.	*Gabrielle mit Rose, Madame Joseph Durand-Ruel, Alexander Thurneyssen als Hirtenknab*
1912 Teilnahme an zahlreichen Ausstellungen: Paris, Sankt Petersburg, Düsseldorf. Rheumaanfall.	*Madame de Galéa à la Méridienne, Die Wäscherinnen, Gabrielle mit Spiegel (1910–1913*
1914 Aufenthalt in Nizza und Grasse. Heirat Gabrielles. Rodin sitzt für ein Porträt. Pierre und Jean im Krieg verwundet.	*Les Collettes, Das Urteil des Paris.*
1915 Dédé wird sein Modell. Jean erneut verwundet. Aline stirbt 56jährig und wird in Essoyes beerdigt.	*Rosen.*
1916 Guino führt nach Anweisung Renoirs sechs Medaillons aus. Vollard schickt ein Exemplar der *Venus Victrix* zur Pariser Triennale.	*Venus Victrix.*
1917 Renoir-Ausstellung bei Durand-Ruel in New York. Ende der Zusammenarbeit mit Guino. Matisse in Cagnes.	*Sich aufstützende Frau.*
1918 Ausstellung in Oslo. André, Maleck, die Bessons in Cagnes. Mary Cassatt kommt nach Cagnes. Zusammenarbeit mit Morel.	*Die Badenden.*
1919 Kommandeur der Ehrenlegion. Besucht den Louvre, betrachtet *Madame Georges Charpentier*. Renoir stirbt am 3. Dezember in Cagnes.	*Frau mit Mandoline, Die Badenden, Das Konzert.*

as kulturelle Leben	Geschichte
ant eröffnet »Le Mirliton« auf dem Boulevard Rochechouart. Stevenson: *Jekyll und Mr. Hyde*. Maupassant: *Bel Ami*. Tod Victor Hugos.	Louis Pasteur forscht über die Tollwut. Sigmund Freud bei Charcot in der Salpêtrière. Gottlieb Daimler baut ein Kraftrad mit Benzinmotor.
uguin erstmals in Pont-Aven. Zola: *L'Œuvre*.	Erste Impressionistenausstellung in den USA. Berner Copyright-Konvention. Tod Ludwigs II. von Bayern.
dré Antoine eröffnet das Théâtre Libre. *Lohengrin* erstmals in Paris aufgeführt. upassant: *Der Horla*.	Sadi Carnot Präsident Frankreichs. Geheimer Rückversicherungsvertrag zwischen Deutschland und Rußland.
rter Salon des Indépendants. Seurat zeigt die *Zirkusparade*. Van Gogh zieht ch Arles. Debussy: *Ariettes*.	Gründung des Instituts Pasteur. Dunlop und Michelin erfinden den Pneu. Wilhelm II. deutscher Kaiser.
nets *Olympia* im Musée du Luxembourg. Monet: Serie der *Heuschober*. atole France: *Thais*.	Erste internationale Maifeiern. Bismarck von Wilhelm II. entlassen. Arbeiterschutzgesetzgebung. Robert Koch erzeugt Tuberkulin.
te Einzelausstellung Mary Cassatts. Tod Jongkinds und Seurats. Gauguin reist ch Tahiti.	Russisch-französische Annäherung. Enzyklika *Rerum novarum* Papst Leos XIII. Internationales Friedensbüro in Bern.
net beginnt seine *Kathedralen*-Serie. Maurice Maeterlinck: *Pelleas und Melisande*. es Massenet: *Werther*. Tschaikowski: *Der Nußknacker*.	Russisch-französische Militärkonvention. Panamaskandal.
dyard Kipling: *Das Dschungelbuch*. Debussy: *Prélude à l'après-midi d'un faune*.	Beginn der Dreyfusaffäre. Nikolaus II. Zar von Rußland.
d Berthe Morisots. Auseinandersetzungen um Caillebottes Vermächtnis 896 vom Staat akzeptiert).	Stiftung des Nobelpreises. Entdeckung der Röntgenstrahlen. Erste Filmvorführungen der Gebrüder Lumière.
net: *Seerosen*. André Gide: *Uns nährt die Erde*. H. G. Wells: *Der Unsichtbare*. stav Klimt Mitbegründer der Wiener Secession.	Guglielmo Marconi erfindet die drahtlose Telegraphie.
ostmordversuch Gauguins. Tod Stéphane Mallarmés und Edmond Maîtres. la: *J'accuse*.	Faschodakrise. Zola wegen Eintretens für Dreyfus verurteilt. Marie Curie entdeckt das Radium.
nri Bergson: *Das Lachen*. Pissarro: *Ansichten des Pont-Neuf*. Gustave Charpentier: *ise*. Puccini: *Tosca*. Tod Nietzsches und Oscar Wildes.	König Umberto I. von Italien ermordet. Boxeraufstand in China. BGB tritt in Kraft. Weltausstellung in Paris.
auguin: *Und das Gold ihrer Körper*. Van-Gogh-Retrospektive bei Bernheim-Jeune. d Toulouse-Lautrecs.	Tod Königin Victorias. Präsident MacKinley (USA) ermordet. Henri Dunant erhält den Friedensnobelpreis.
tave Mirbeau: *Geschäft ist Geschäft*. Tod Gauguins. Enrico Caruso an der tropolitan Opera New York. Erik Satie: *Morceaux en forme de poire*.	Spaltung der russischen Sozialisten in Bolschewiki und Menschewiki. Erster Flug der Brüder Wright.
eiter Herbstsalon. Tod Fantin-Latours. Picasso im Bateau Lavoir. Puccini: *dame Butterfly*. Tschechow: *Der Kirschgarten*.	Entente cordiale zwischen Frankreich und Großbritannien. Jean Jaurès begründet *L'Humanité*.
sa Periode Picassos. Skandal um die »Fauves«. Gründung der Künstlervereinigung e Brücke« in Dresden.	Gesetz über Trennung von Kirche und Staat in Frankreich. Revolution in Rußland. Albert Einstein entwickelt die Spezielle Relativitätstheorie.
d Cézannes. Bergson: *Die schöpferische Entwicklung*. Samuel Beckett und ly Wilder geboren.	Armand Fallières Präsident der Republik (bis 1913), Clemenceau Ministerpräsident (bis 1909). Beilegung der Marokkokrise auf der Konferenz von Algeciras. Dreyfus rehabilitiert.
asso: *Les Demoiselles d'Avignon*. Tod Huysmans'. Maxim Gorki: *Die Mutter*.	Entstehung der »Triple Entente« (Großbritannien, Frankreich, Rußland).
gust Strindberg: *Das Blaubuch*. Georges Sorel: *Über die Gewalt*.	Bosnische Annexionskrise.
arles Péguy: *Das Mysterium der Erbarmung*. Debussy: *Trois ballades de ançois Villon*.	König Edward VII. von Großbritannien stirbt. Errichtung der Südafrikanischen Union.
ul Claudel: *Der Bürge*. Giraudoux: *Die Schule der Gleichgültigen*. Tod Legros'.	Zweite Marokkokrise endet mit deutsch-französischem Marokko- und Kongoabkommen.
vel: *Daphnis und Chloe*. Claudel: *Verkündigung*. Anatole France: *Die Götter dürsten*.	Raymond Poincaré französischer Ministerpräsident. Marokko französisches Protektorat. Beginn des Ersten Balkankriegs.
de: *Die Verliese des Vatikan*. Monet: *Seerosen*. Tennessee Williams geboren.	Beginn des Ersten Weltkriegs. Marneschlacht, Ypernschlacht.
rdan: *Naufrage au Sémaphore*. Le Sidaner: *Dogenpalast*. W. Griffith: *Die Geburt einer Nation*.	Zweite Schlacht bei Ypern. Deutschland setzt Kampfgas ein. Versenkung der *Lusitania*.
d Henry James', Odilon Redons, Jack Londons. Henri Barbusse: *Das Feuer*.	Schlacht um Verdun. Schlacht an der Somme. General Nivelle Nachfolger Joffres als Oberbefehlshaber.
d Degas'. Matisse: *Die Klavierstunde*. Rouault: *Der alte Clown*. Giraudoux: *Lectures ur une ombre*.	Zwischen Arras und Soissons Rückzug der Deutschen in die »Siegfriedstellung«. Nivelle von Pétain abgelöst. Balfourdeklaration. Revolution in Rußland.
d Guillaume Apollinaires, Koloman Mosers, Ferdinand Hodlers, Gustav Klimts. n Cocteau: *Hahn und Harlekin*.	14-Punkte-Programm Präsident Wilsons (USA). Novemberrevolution in Deutschland. 11. November: Waffenstillstand.
onie-Gabrielle Colette: *Mitsou*. André Gide: *Die Pastoralsymphonie*. rgson: *Die seelische Energie*.	18. Januar: Eröffnung der Friedenskonferenz in Paris. 28. Juni: Unterzeichnung des Versailler Vertrags.

Auswahlbibliographie (chronologisch)

Julius Meier-Graefe: *Impressionisten*. München, Leipzig: Piper, 1907.

Julius Meier-Graefe: *Renoir*. München, Leipzig: Piper, 1911.

Octave Mirbeau: *Renoir*. Paris, 1913.

Albert André u. Georges Besson: *Renoir*. Paris, 1918.

Ambroise Vollard: *Tableaux, pastels et dessins de Pierre-Auguste Renoir*. Paris, 1918.

Georges Rivière: *Renoir et ses amis*. Paris: Floury, 1921.

François Fosca Rieder: *Renoir*. Paris, 1923.

Ambroise Vollard: *Auguste Renoir*. Aus dem Französischen übers. v. Albert Dreyfus. Berlin: Cassirer, 1924.

Gustave Coquiot: *Renoir*. Paris: Albin Michel, 1925.

A. C. Barnes: *Art of Renoir*. The Barnes Foundation Press, 1925.

Adolphe Basler: *Pierre-Auguste Renoir*. Paris: Gallimard, 1928.

Georges Besson: *Auguste Renoir*. Paris, 1929.

A. André u. M. Elder Berheim: *L'Atelier de Renoir*. Paris, 1931.

Claude Roger-Marx: *Renoir*. Paris: Floury, 1933.

Hans Graber Schwabe: *Impressionisten-Briefe*. Basel, 1934.

André Salmon: *Propos d'atelier*. Paris: Nouvelle Edition Excelsior, 1938.

Ambroise Vollard: *Ecoutant Cézanne, Degas, Renoir*. Paris: Grasset, 1938.

Théodore Duret: *Histoire des peintres impressionistes*. Paris: Floury, 1906, ²1939.

Lionello Venturi: *Archives de l'impressionnisme*. Paris: Durand-Ruel, 1939.

Reginal Wilenski: *Modern French Painters*. New York: Reynal & Hitchcock, 1940.

Charles Terrasse: *Cinquante Portraits de Renoir*. Paris: Floury, 1941.

Rosamund Frost: *Pierre-Auguste Renoir*. New York: Hyperion, 1944.

André Lhote: *Peintures de Renoir*. Paris: Le Chêne, 1944.

Michel Drucker: *Renoir*. Paris: Tisne, 1944.

Paul Haesaerts: *Renoir Sculpteur*. Brüssel: Hermès, 1947.

Irène Cattaneo: *Vita colorata di Renoir*. Mailand: Bietti, 1947.

Jean Leymarie: *Renoir*. Paris: Hazan, 1949.

Jeanne Beaudot: *Renoir, ses amis, ses modèles*. Paris: Editions Littéraires de France, 1949.

Raymond Cogniat: *Le Siècle des impressionnistes*. Paris: Hyperion, 1950.

François Daulte: *Frédéric Bazille et son temps*. Genf: Pierre Cailler, 1952.

M. Catinat: *Les bords de la Seine avec Renoir et Maupassant*. Paris: Editions S.O.S.P., 1952.

Claude Roger-Marx: *Les Impressionnistes*. Paris: Hachette, 1956.

François Daulte: *Pierre-Auguste Renoir. Aquarelles, pastels et dessins en couleurs*. Basel, 1958.

Michel Robida: *Renoir: enfants*. Lausanne: International Art Book, 1959.

Peter H. Feist: *Auguste Renoir*. Leipzig: Kunstverlag Seemann, 1961.

Jean Renoir: *Mein Vater Auguste Renoir*. Aus dem Französischen übers. v. Sigrid Stahlmann. München: Piper, 1962.

Henri Perruchot: *La Vie de Renoir*. Paris: Hachette, 1964.

Jacques Lassaigne: *L'Impressionnisme*. Lausanne, 1966.

M. u. C. Blunden: *Journal de l'impressionnisme*. Genf, 1970.

Pierre Cabanne: *Renoir*. Paris, 1970.

Jean Clay: *L'Impressionnisme*. Paris: Hachette, 1970.

Elda Fezzi: *Renoir*. Luzern, 1972.

François Daulte: *Renoir*. Mailand: Les impressionnistes, 1974.

Max-Pol Fochet: *Les Nus de Renoir*. Lausanne: Editions Clairefontaine/Vilo, 1974.

Maximilien Gauthier: *Renoir*. Paris: Flammarion, 1976.

Franco De Poli: *Renoir*. Aus dem Italienischen übers. v. Thomas Metzger. Stuttgart, Hamburg, München: Deutscher Bücherbund, 1978.

John Rewald: *Die Geschichte des Impressionismus*. Köln: DuMont, 1979.

Sophie Monneret: *L'Impressionnisme et son époque*. Paris, 1978–1980.

Diane Kelder: *Die großen Impressionisten*. München: Hirmer, 1981.

Gerd Betz: *Auguste Renoir. Leben und Werk*. Stuttgart, Zürich: Belser, 1982.

Yann le Pichon: *Les Peintres du bonheur*. Paris: Robert Laffont, 1983.

Walter Pach: *Pierre-Auguste Renoir*. Köln: DuMont, 1983.

Gilles Neret: *Renoir 60 chefs-d'œuvres*. Fribourg: Editions Vilo, 1985.

Ausstellungskatalog: *Renoir*. Paris, London, Boston, 1985.

Elda Fezzi u. Jacqueline Henry: *Renoir*. Mailand: Flammarion, 1985.

Anne Distel, John House u. John Walsh: *Renoir*. Paris: Editions de la Réunion des musées nationaux, 1985.

Barbara Ehrlich White: *Renoir*. Paris: Flammarion, 1985.

Bruno Schneider: *Renoir*. Paris: Flammarion, o. J.

Julius Meier-Graefe: *Renoir*. Frankfurt: Insel, 1986.

Horst Keller: *Auguste Renoir*. München: Bruckmann, 1987.